A REDAÇÃO COMO LIBERTAÇÃO

CURSO DE EXTENSÃO UNIVERSITÁRIA À DISTÂNCIA

A REDAÇÃO COMO LIBERTAÇÃO

Universidade de Brasília

EDITORA UnB

Núcleo de Estudos Lingüísticos

Centro de Educação Aberta, Continuada, a Distância

Centro de Educação Aberta, Continuada, a Distância (CEAD)

Diretor: Elício Bezerra Pontes

Equipe de produção do curso: **A Redação como Libertação:**
Coordenador: Hildo Honório do Couto
Consultoria Metodológica: Maria Rosa Abreu de Magalhães
Editoração: Maria Riza Baptista Dutra
Revisão: Maria Rosinda Ramos da Silva
Antonio Carlos Ayres Maranhão (2ª edição)
Planejamento visual: Nanche Las-Casas e Luís Eduardo Resende

Ilustração: Girafa

2ª edição: apoio ANFIP - Associação Nacional dos Fiscais de Contribuições Previdenciárias

ISBN 85-230-0255-3

R312c

A redação como libertação / Hildo Honório do Couto, coordenador. – 2. ed. - Brasília: Editora Universidade de Brasília, 1990, c1988.
96 p.

Inclui bibliografia.

Couto, Hildo Honório do.
CDU 82.08

AO PARTICIPANTE

Prezado participante, você está recebendo o curso: **A redação como libertação**. Ele foi produzido com o propósito de mostrar-lhe que fazer uma redação, uma composição ou escrever um texto, não é "bicho de sete cabeças". Você verá que redigir é possível e até simples.

Neste curso você não encontrará receitas ou "macetes" milagrosos, que em dois tempos o transformem num candidato à Academia Brasileira de Letras. Queremos que entenda que redigir não é decorar ou memorizar fórmulas capazes de serem aplicadas em qualquer situação.

A capacidade de anotar recado, escrever carta, redigir texto etc. é algo que qualquer pessoa alfabetizada tem. O que muita gente ainda não conseguiu, foi perceber as barreiras e dificuldades colocadas propositadamente, por uma elite "dona" do ato de escrever. Essa elite pretende reservar para si o monopólio da escrita, por isso precisa aparentar que redigir é tarefa tão difícil que deve ser deixada somente para os poucos "eleitos".

A redação como libertação quer dizer: *redigir sem aceitar a carapuça de incapaz, "burro" ou "mobral"*. Procura demonstrar que *redigir é superar preconceitos, é aceitar-se como capaz. É ser livre.*

Este curso foi produzido por Hildo Honório do Couto, doutor em Lingüística/Fonologia, atualmente professor de Fonologia do Português do Brasil, do Departamento de Letras da Universidade de Brasília. Contou com o apoio do Núcleo de Estudos Lingüísticos da UnB.

Sugerimos que você inicie seu estudo pela leitura da introdução, onde terá uma visão global do curso. Passe então para o estudo dos capítulos. *Não tenha pressa, procure entender o que o autor quis dizer.*

Busque discutir com um colega, se possível, forme um grupo de estudos. Desta forma a fixação do conteúdo dos capítulos será mais fácil, além de ampliar seus conhecimentos.

Para a obtenção do certificado de Extensão Universitária você deverá remeter, até 06 meses após a data da inscrição, os trabalhos finais para:

Curso: **A redação como libertação**
Centro de Educação Aberta, Continuada, a Distância – CEAD
Prédio 2 Candangos – Salas 12/13
Universidade de Brasília
70919 – Brasília – DF
Telefone: 273 4299

Se você tiver alguma crítica, sugestão ou reclamação a fazer, ficaremos felizes em recebê-la.

1. **Dados de identificação**
Nome do curso: "A redação como libertação"
Nível: Extensão / Modalidade: à distância
Duração: 60 horas/aula
Professor coordenador: Hildo Honório do Couto
Apoio pedagógico: Maria Rosa Abreu
Supervisão: Volnei Garrafa e Ivônio Barros Nunes
Público-alvo: Professores de português, estudantes e público em geral.

2. **Objetivo:**
Conscientizar as pessoas de que fazer uma boa redação é uma coisa simples contanto que ela seja encarada como um processo libertador e não opressor como é praticada na escola.

3. **Metodologia**
3.1 – Leitura de textos do curso e outros
3.2 – Produção de textos individuais

4. **Recursos Auxiliares**
4.1 – Leitura dos textos próprios para amigos
4.2 – Reflexão crítica sobre o próprio texto

5. **Avaliação da aprendizagem**
A avaliação será feita pelo próprio interessado. Ninguém melhor do que ele para saber se progrediu ou não no decurso da presente atividade. No entanto, ele deverá enviar à Universidade de Brasília três textos produzidos por ele, conforme solicitado em seguida ao oitavo texto do curso. Com esses três textos ele terá direito ao certificado do Curso de Extensão, fornecido pela UnB.

SUMÁRIO

Introdução
A redação como libertação ... 9

Tema 1 **A educação libertadora**
Paulo Freire ... 13
Questões para reflexão ... 27
Exercício
Leituras recomendadas ... 28

Tema 2 **Linguagem, conhecimento e cultura**
Adam Schaff ... 29
Questões para reflexão ... 39
Exercício
Leituras recomendadas ... 40

Tema 3 **A variação lingüística**
Roberto H. Camacho ... 41
Questões para reflexão ... 52
Exercício
Leituras recomendadas ... 53

Tema 4 **Variação lingüística e ensino da língua materna**
Ataliba T. de Castilho ... 55
Questões para reflexão ... 60
Exercício
Leituras recomendadas ... 61

Tema 5 **A interação verbal**
Michail Bakhtin ... 63
Questões para reflexão ... 74
Exercício
Leituras recomendadas ... 75

Tema 6 **Ridendo discitur**
Hildo Honório do Couto ... 77
Questões para reflexão ... 81
Exercício
Leituras recomendadas ... 82

Tema 7 **A inspiração é um cachorro preto, um *doberman*, bem aí, atrás de você**
Henfil ... 83
Questões para reflexão ... 88
Exercício
Leituras recomendadas ... 89

Tema 8 **Libertação pela expressão**
Hildo Honório do Couto ... 91
Questões para reflexão ... 93
Exercício
Leituras recomendadas ... 94

BIBLIOGRAFIA ... 95

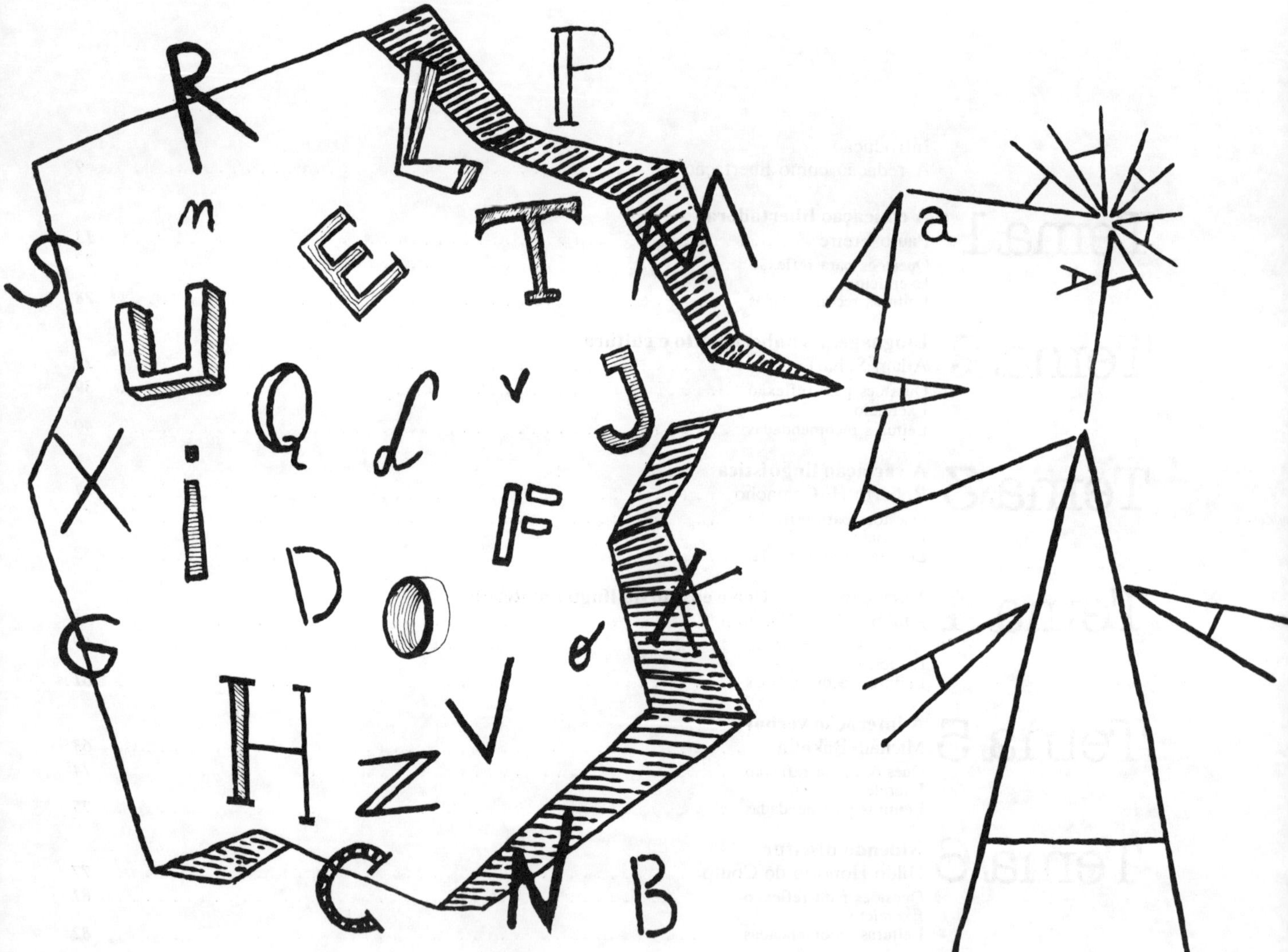

A Redação como Libertação

Até hoje a redação (ou composição) tem sido um verdadeiro tormento, um suplício a que somos submetidos no ensino de 1º e 2º graus. Nem mesmo na universidade ficamos "livres" dela. Do modo como vem sendo ensinada, tem sido sempre uma opressão que o sistema escolar nos inflinge. Mas, será que tem que ser assim? Não poderíamos inverter o processo e fazer dela algo agradável, libertador?

É o que pretendemos com este curso. Nele você não terá um receituário de como fazer "Introdução", "Desenvolvimento" e "Conclusão" nem regras de paragrafação. Tampouco encontrará regras de concordância e regência e de usos de s/z,x/ch,j/g, etc. Tudo isso você pode encontrar em manuais e gramáticas, acessíveis na livraria e na biblioteca mais próximas. Pelo contrário, nossa intenção é desmistificar o complexo impingido em nós pela escola, de que somos incapazes de escrever bem, de que somos, ao fim e ao cabo, burros. Ou seja, estamos convencidos de que o escrever bem é acessível a qualquer pessoa capaz de compreender o raciocínio de que 2+2=4. Portanto, você também é capaz de escrever bem.

Dados os vícios que trazemos da escola, você vai estranhar os textos que escolhemos como ponto de partida das discussões. Com efeito, apenas um deles trata diretamente da questão da redação. Mesmo assim, sem tocar em questões gramaticais ou em "técnicas de redação". Os outros tratam mais da problemática da linguagem em geral. Julgamos necessária uma conscientização sobre esta questão, porque ela é a base de tudo. Sem uma postura consciente e coerente sobre a linguagem, é impossível qualquer tentativa de dominá-la, de manifestar a liberdade através dela.

A criação é eminentemente uma ruptura, uma atitude de revolta, de inconformismo; ela é revolucionária, portanto, libertadora. A produção de textos, que não deixa de ser um ato criador, não foge a esta regra. Assim sendo, começamos com um texto de Paulo Freire sobre educação libertadora. Ninguém tem mais autoridade do que ele para falar sobre o assunto. Em seguida, apresentamos um texto sobre as relações da linguagem com o pensamento e a realidade, de Adam Schaff, no qual se vê que a linguagem é de suma importância para o pensamento e, conseqüentemente, para o conhecimento da realidade. Sem esse conhecimento não há a menor possibilidade de o cidadão exercer sua liberdade, pois ser livre é "dominar" o meio ambiente juntamente com os outros seres humanos que lutam pela sobrevivência. Sem este domínio, a liberdade permanece como letra morta de algum artigo da Constituição, como retórica vazia. Não há liberdade a não ser liberdade real, concreta, usufruível. Aliás, diga-se de passagem que o conhecimento do artigo da Constituição faz parte do domínio sobre a realidade através da linguagem.

O texto nº 3 discute a questão da complexidade da língua. É bom estar consciente disso a fim de não cometer erros elementares, como achar que o certo é "Ela quer dar-me um presente" e não "Ela quer me dar um presente". Veremos que ambas construções são corretas, com a diferença de que a primeira pertence a um nível bastante formal de linguagem, ao passo que a segunda é mais coloquial, mais próxima da realidade quotidiana dos usuários, inclusive dos cultos. Intimamente ligada a esta questão está a da norma culta brasileira (texto nº 4). Aqui se discute, entre outras coisas, o fato de a norma culta brasileira ainda não estar constituída. É necessário uma "Constituinte" para ela também. Mas, enquanto ela não vem, não vamos ficar mudos, parar de escrever. O pior é que os gramáticos e todo o Aparelho Ideológico do Estado Escolar estão aí para nos policiar e dizer que estamos falando/escrevendo errado. Mas, perguntamos: a língua de um povo é a língua usada por esse povo ou a que os gramáticos querem que ele use?

No texto nº 5, de Bakhtin, discute-se a questão da expressão e da comunicação. Devemos enfatizar o receptor (comunicação) ou o próprio emissor (expressão) ao produzir um texto? Cada uma das posturas tem suas vantagens e desvantagens. Reflita sobre elas!

O texto nº 6 relata uma experiência vivida no ensino de redação a crianças de 5ª série. Cremos que uma reflexão sobre esta experiência será de suma importância para quem queira manifestar a liberdade de se expressar graficamente. O de nº 7 trata do mesmo assunto, só que de um ponto de vista mais político (a política, ao contrário do que quer dar a entender o **status quo**, perpassa toda nossa vida). Nele se vê que a criação é uma atitude de rebeldia contra a opressão. No caso da produção de textos, contra a opressão do professor, da escola, do vestibular, dos exames de seleção etc. É preciso se insurgir contra o que os "importantes", os "figurões", as "autoridades" querem nos impingir como sendo a verdade eterna e absoluta em termos de "boa linguagem". Mas, insurgir não de maneira iconoclasta e inconseqüente. Esta atitude não leva a nada. Antes, pelo contrário, reforça a posição dos que nos oprimem lingüisticamente. A atitude mais sensata consiste em trocar em miúdos o discurso empolado (técnico) dos "importantes" e mostrar que tudo é papo furado para enganar o povo. A indignação deve ser a de um revolucionário idealista que apresenta e tenta impor soluções alternativas, mais consentâneas com as condições concretas de vida dos falantes. Partindo daí, ele mostra de modo simples que a verdade (que também é concreta) não é necessariamente complicada e hermética. Enfim, ele mostra que é possível transformar a realidade para melhoria de todos, e não apenas da minoria que detém o poder (inclusive o de dizer que escrevemos/falamos errado, que não sabemos português: que língua, então, falamos?).

O texto nº 8, o último, tenta fazer um balanço geral do que foi discutido durante o curso. Nele se discute a questão da libertação pela expressão mais detalhadamente. Entre outras coisas, verifica-se que expressar-se bem é dominar a linguagem, não ser dominado por ela. Isso, evidentemente, desagrada os detentores do poder lingüístico. Por isso, tentam a todo custo fazer passar a idéia de que escrevemos mal, de que escrever bem é privilégio (este é típico de um regime injusto) dos "inteligentes", dos que dominam o "bom português", de cujo segredo eles são os únicos detentores. Portanto, procuremos dominar também aquilo que assim chamam a fim de desmascará-los.

Lembre-se! Para escrever bem, basta você dominar a linguagem, no sentido do que se discute nos diversos textos que você lerá.

GIRAFA

1 A Educação Libertadora

PAULO FREIRE

Reconhecemos a amplitude do tema que nos propomos tratar neste ensaio, com o qual pretendemos, em certo aspecto, aprofundar alguns pontos discutidos em nosso trabalho anterior **Educação como Prática da Liberdade.** Daí que o consideremos como mera introdução, como simples aproximação a assunto que nos parece de importância fundamental.

Mais uma vez os homens, desafiados pela dramaticidade da hora atual, se propõem a si mesmos como problema. Descobrem que pouco sabem de si, de seu "posto no cosmos", e se inquietam por saber mais. Estará, aliás, no reconhecimento do seu pouco saber de si uma das razões desta procura. Ao instalar-se na quase, senão trágica descoberta do seu pouco saber de si, se fazem problema a eles mesmos. Indagam. Respondem, e suas respostas os levam a novas perguntas.

O problema de sua humanização, apesar de sempre dever haver sido, de um ponto de vista axiológico, o seu problema central, assume, hoje, caráter de preocupação ineludível.[1]

Constatar esta preocupação implica, indiscutivelmente, reconhecer a desumanização não apenas como viabilidade ontológica, mas como realidade histórica. É também, e talvez sobretudo, a partir desta dolorosa constatação, que os homens se perguntam sobre a outra viabilidade – a de sua humanização. Ambas, na raiz de sua inconclusão, que os inscreve num permanente movimento de busca. Humanização e desumanização, dentro da história, num contexto real, concreto, objetivo, são possibilidades dos homens como seres inconclusos e conscientes de sua inconclusão.

Mas, se ambas são possibilidades, só a primeira nos parece ser o que chamamos de vocação dos homens. Vocação negada, mas também afirmada na própria negação. Vocação negada na injustiça, na exploração, na opressão, na violência dos opressores. Mas afirmada no anseio de liberdade, de justiça, de luta dos oprimidos,

1. Os movimentos de rebelião, sobretudo de jovens, no mundo atual, que necessariamente revelam peculiaridades dos espaços onde se dão, manifestam em sua profundidade, esta preocupação em torno do homem e dos homens, como seres no mundo e com o mundo. Em torno do *que* e de *como* estão sendo. Ao questionarem a "civilização do consumo"; ao denunciarem as "burocracias" de todos os matizes; ao exigirem a transformação das Universidades, de que resulte, de um lado, o desaparecimento da rigidez nas relações professor-aluno; de outro, a inserção delas na realidade; ao proporem a transformação da realidade mesma para que as Universidades possam renovar-se; ao rechaçarem velhas ordens e instituições estabelecidas, buscando a afirmação dos homens como sujeitos de decisão, todos estes movimentos refletem o sentido mais antropológico do que antropocêntrico de nossa época.

pela recuperação de sua humanidade roubada.

A desumanização, que não se verifica apenas nos que têm sua humanidade roubada, mas também, ainda que de forma diferente, nos que a roubam, é distorção da vocação do *Ser Mais*. É distorção possível na história, mas não vocação histórica. Na verdade, se admitíssimos que a desumanização é vocação histórica dos homens, nada mais teríamos que fazer, a não ser adotar uma atitude cínica ou de total desespero. A luta pela humanização, pelo trabalho livre, pela desalienação, pela afirmação dos homens como pessoas, como "seres para si", não teria significação. Esta somente é possível porque a desumanização, mesmo que um fato concreto na história, não é, porém, *destino dado,* mas resultado de uma "ordem" injusta que gera a violência dos opressores e esta, o *ser menos*.

A violência dos opressores, que os faz também desumanizados, não instaura uma outra vocação – a do ser menos. Como distorção do ser mais, o ser menos leva os oprimidos, cedo ou tarde, a lutar contra quem os fez menos. E esta luta somente tem sentido quando os oprimidos, ao buscar recuperar sua humanidade, que é uma forma de criá-la, não se sentem idealistamente opressores, nem se tornam, de fato, opressores dos opressores, mas restauradores da humanidade em ambos. E aí está a grande tarefa humanista e histórica dos oprimidos – libertar-se a si e aos opressores. Estes, que oprimem, exploram e violentam, em razão de seu poder, não podem ter, neste poder, a força de libertação dos oprimidos nem de si mesmos. Só o poder que nasça da debilidade dos oprimidos será suficientemente forte para libertar a ambos. Por isto é que o poder dos opressores, quando se pretende amenizar ante a debilidade dos oprimidos, não apenas quase sempre se expressa em falsa generosidade, como jamais a ultrapassa. Os opressores, falsamente generosos, têm necessidade, para que sua "generosidade" continue tendo oportunidade de realizar-se, da permanência da injustiça. A "ordem" social injusta é a fonte geradora, permanente, desta "generosidade" que se nutre da morte, do desalento e da miséria[2].

Daí o desespero desta "generosidade" diante de qualquer ameaça, embora tênue, à sua fonte. Não pode jamais entender esta "generosidade" que a verdadeira generosidade está em lutar para que desapareçam as razões que alimentam o falso amor. A falsa caridade, da qual decorre a mão estendida do "demitido da vida", medroso e inseguro, esmagado e vencido. Mão estendida e trêmula dos esfarrapados do mundo, dos "condenados da terra". A grande generosidade está em lutar para que, cada vez mais, estas mãos sejam de homens ou de povos, se estendam menos, em gestos de súplica. Súplica de humildes a poderosos. E se vão fazendo, cada vez mais, mãos humanas, que trabalhem e transformem o mundo. Este ensinamento e este aprendizado têm de partir, porém, dos "condenados da terra", dos oprimidos, dos esfarrapados do mundo e dos que com eles realmente se solidarizem. Lutando pela restauração de sua humanidade estarão, sejam homens ou povos, tentando a restauração da generosidade verdadeira.

Quem, melhor que os oprimidos, se encontrará preparado para entender o significado terrível de uma sociedade opressora? Quem sentirá, melhor que eles, os efeitos da opressão? Quem, mais que eles, para ir compreendendo a necessidade da libertação? Libertação a que não chegarão pelo acaso, mas pela práxis de sua busca; pelo conhecimento e reconhecimento da necessidade de lutar por ela. Luta que, pela finalidade que lhe derem os oprimidos, será um ato de amor, com o qual se oporão ao desamor contido na violência dos opressores, até mesmo quando esta se revista da falsa generosidade referida.

A nossa preocupação, neste trabalho, é apenas apresentar alguns aspectos do que nos parece constituir o que vimos chamando de Pedagogia do Oprimido: aquela que tem de ser forjada *com* ele e não *para* ele, enquanto homens ou povos, na luta incessante de recuperação de sua humanidade. Pedagogia que faça da opressão e de suas causas objeto da reflexão dos oprimidos, de que resultará o seu engajamento necessário na luta por sua libertação, em que esta pedagogia se fará e refará.

O grande problema está em como poderão os oprimidos, que "hospedam" ao opressor em si, participar da

2. "Talvez dês esmolas. Mas, de onde as tiras, senão de tuas rapinas cruéis, do sofrimento, das lágrimas, dos suspiros? Se o pobre soubesse de onde vem o teu óbulo, ele o recusaria porque teria a impressão de morder a carne de seus irmãos e de sugar o sangue de seu próximo. Ele te diria estas palavras corajosas: não sacies a minha sede com as lágrimas de meus irmãos. Não dês ao pobre o pão endurecido com os soluços de meus companheiros de miséria. Devolve a teu semelhante aquilo que reclamaste, e eu te serei muito grato. De que vale consolar um pobre, se tu fazes outros cem?" São Gregório de Nissa, (330) **Sermão contra os Usurários.**

elaboração, como seres duplos, inautênticos, da pedagogia de sua libertação. Somente na medida em que se descubram "hospedeiros" do opressor poderão contribuir para o partejamento de sua pedagogia libertadora. Enquanto vivam a dualidade na qual ser é parecer e parecer é parecer com o opressor, é impossível fazê-lo. A pedagogia do oprimido, que não pode ser elaborada pelos opressores, é um dos instrumentos para esta descoberta crítica – a dos oprimidos por si mesmos e a dos opressores pelos oprimidos, como manifestações da desumanização.

Há algo, porém, a considerar nesta descoberta que está diretamente ligado à pedagogia libertadora. É que, quase sempre, num primeiro momento deste descobrimento, os oprimidos, em lugar de buscar a libertação, na luta e por ela, tendem a ser opressores também, ou subopressores. A estrutura de seu pensar se encontra condicionada pela contradição vivida na situação concreta, existencial, em que se "formam". O seu ideal é, realmente, ser homens, mas, para eles, ser homens, na contradição em que sempre estivera e cuja superação não lhe está clara, é ser opressores. Estes são o seu testemunho de humanidade.

Isto decorre, como analisaremos mais adiante, com mais vagar, do fato de que, em certo momento de sua experiência existencial, os oprimidos assumam uma postura que chamamos de "aderência" ao opressor. Nestas circunstâncias, não chegam a "admirá-lo", o que os levaria a objetivá-lo, a descobri-lo fora de si.

Ao fazermos esta afirmação, não queremos dizer que os oprimidos, neste caso, não se saibam oprimidos. O seu conhecimento de si mesmos, como oprimidos, se encontra, contudo, prejudicado pela "imersão" em que se acham na realidade opressora. "Reconhecer-se", a este nível, contrários ao outro, não significa ainda lutar pela superação da contradição. Daí esta quase aberração: um dos pólos da contradição pretendendo não a libertação, mas a identificação com o seu contrário.

O "homem novo", em tal caso, para os oprimidos, não é o homem a nascer da superação da contradição, com a transformação da velha situação concreta opressora, que cede seu lugar a uma nova, de libertação. Para eles, o novo homem são eles mesmos, tornando-se opressores de outros. A sua visão do homem novo é uma visão individualista. A sua aderência ao opressor não lhes possibilita a consciência de si como pessoa, nem a consciência de classe oprimida.

Desta forma, por exemplo, querem a reforma agrária não para libertar-se, mas para passar a ter terra e, com esta, tornar-se proprietários ou, mais precisamente, patrões de novos empregados.

Raros são os camponeses que, ao serem "promovidos" a capatazes, não se tornam mais duros opressores de seus antigos companheiros do que o patrão mesmo. Poder-se-á dizer – e com razão – que isto se deve ao fato de que a situação concreta, vigente, de opressão, não foi transformada. E que, nesta hipótese, o capataz, para assegurar seu posto, tem de encarnar, com mais dureza ainda, a dureza do patrão. Tal afirmação não nega a nossa – a de que, nestas circunstâncias, os oprimidos têm no opressor o seu testemunho de "homem".

Até as revoluções, que transformam a situação concreta de opressão em uma nova, em que a libertação se instaura como processo, enfrentam esta manifestação da consciência oprimida. Muitos dos oprimidos que, direta ou indiretamente, participaram da revolução, marcados pelos velhos mitos da estrutura anterior, pretendem fazer da revolução a sua revolução privada. Perdura neles, de certo modo, a sombra testemunhal do opressor antigo. Este continua a ser o seu testemunho de "humanidade".

O "medo da liberdade"[3], de que se fazem objeto os oprimidos, medo da liberdade que tanto pode conduzi-los a pretender ser opressores também quanto pode mantê-los atados ao *status* de oprimidos, é outro aspecto que merece igualmente nossa reflexão.

Um dos elementos básicos na mediação opressores-oprimidos é a *prescrição*. Toda prescrição é a imposição da opção de uma consciência a outra. Daí, o sentido alienador das prescrições que transformam a consciência recebedora no que vimos chamando de consciência "hospedeira" da consciência opressora. Por isto, o comportamento dos oprimidos é um comportamento prescrito. Faz-se à base de pautas estranhas a eles – as pautas dos opressores.

3. Este medo da liberdade também se instala nos opressores, mas, obviamente, de maneira diferente. Nos oprimidos, o medo da liberdade é o medo de assumi-la. Nos opressores, é o medo de perder a "liberdade" de oprimir.

Os oprimidos, que introjetam a "sombra" dos opressores e seguem suas pautas, temem a liberdade, na medida em que esta, implicando na expulsão desta sombra, exigiria deles que "preenchessem" o "vazio" deixado pela expulsão, com outro "conteúdo" – o de sua autonomia. O de sua responsabilidade, sem o que não seriam livres. A liberdade, que é uma conquista, não uma doação, exige uma permanente busca. Busca permanente que só existe no ato responsável de quem a faz. Ninguém tem liberdade para ser livre: pelo contrário, luta por ela precisamente porque não a tem. Não é também a liberdade um ponto ideal, fora dos homens, ao qual inclusive eles se alienam. Não é idéia que se faça mito. É condição indispensável ao movimento de busca em que estão inscritos os homens como seres inconclusos.

Daí, a necessidade que se impõe de superar a situação opressora. Isto implica no reconhecimento crítico, na "razão" desta situação, para que, através de uma ação transformadora que incida sobre ela, se instaure uma outra, que possibilite aquela busca do *Ser Mais*.

No momento, porém, em que se comece a autêntica luta para criar a situação que nascerá da superação da velha, já se está lutando pelo *Ser Mais*. E, se a situação opressora gera uma totalidade desumanizada e desumanizante, que atinge aos que oprimem e aos oprimidos, não vai ceder, como já afirmamos, aos primeiros, que se encontram desumanizados pelo só motivo de oprimir, mas aos segundos, gerar de seu *ser menos* a busca do *Ser Mais* de todos.

Os oprimidos, contudo, acomodados e adaptados, "imersos" na própria engrenagem da estrutura dominadora, temem a liberdade, enquanto não se sentem capazes de correr o risco de assumi-la. E a temem, também, na medida em que lutar por ela significa uma ameaça não só aos que a usam para oprimir, como seus "proprietários" exclusivos, mas aos companheiros oprimidos, que se assustam com maiores repressões.

Quando descobrem em si o anseio por libertar-se, percebem que este anseio somente se faz concretude na concretude de outros anseios.

Enquanto tocados pelo medo da liberdade, se negam a apelar a outros e a escutar o apelo que se lhes faça ou que se tenham feito a si mesmos, preferindo a gregarização à convivência autêntica. Preferindo a adaptação em que sua não liberdade os mantém à comunhão criadora, a que a liberdade leva, até mesmo quando ainda somente buscada.

Sofrem uma dualidade que se instala na "interioridade" do seu ser. Descobrem que, não sendo livres, não chegam a ser autenticamente. Querem ser, mas temem ser. São eles e ao mesmo tempo são o outro introjetado neles, como consciência opressora. Sua luta se trava entre serem eles mesmos ou serem duplos. Entre expulsarem ou não o opressor de "dentro" de si. Entre se desalienarem ou se manterem alienados. Entre seguirem prescrições ou terem opções. Entre serem espectadores ou atores. Entre atuarem ou terem a ilusão de que atuam, na atuação dos opressores. Entre dizerem a palavra ou não terem voz, castrados no seu poder de criar e recriar, no seu poder de transformar o mundo.

Este é o trágico dilema dos oprimidos, que a sua pedagogia tem de enfrentar.

A libertação, por isto, é um parto. E um parto doloroso. O homem que nasce deste parto é um homem novo que só é viável na e pela superação da contradição opressores-oprimidos, que é a libertação de todos.

A superação da contradição é o parto que traz ao mundo este homem novo não mais opressor; não mais oprimido, mas homem libertando-se.

Esta superação não pode dar-se, porém, em termos puramente idealistas. Se se faz indispensável aos oprimidos, para a luta por sua libertação, que a realidade concreta de opressão já não seja para eles uma espécie de "mundo fechado", (em que se gera o seu medo da liberdade) do qual não pudessem sair, mas uma situação que apenas os limita e que eles podem transformar, é fundamental, então, que, ao reconhecerem o limite que a realidade opressora lhes impõe, tenham, neste reconhecimento, o motor de sua ação libertadora.

Vale dizer, pois, que reconhecer-se limitados pela situação concreta de opressão, de que o falso sujeito, o falso "ser para si", é o opressor, não significa ainda a sua libertação. Como contradição do opressor, que tem neles a sua verdade, como disse Hegel[4], somente superam a contradição em que se acham, quando o reconhecer-se oprimidos os engaja na luta por libertar-se.

Não basta saber-se numa relação dialética com o opressor – seu contrário antagônico – descobrindo, por exemplo, que sem eles o opressor não existiria, (Hegel) para estarem de fato libertados. É preciso, enfatizemos, que se entreguem à práxis libertadora.

O mesmo se pode dizer ou firmar com relação ao opressor, tomado individualmente, como pessoa. Descobrir-se na posição de opressor, mesmo que sofra por este fato, não é ainda solidarizar-se com os oprimidos. Solidarizar-se com estes é algo mais que prestar assistência a 30 ou a 100, mantendo-se atados, contudo, à mesma posição de dependência. Solidarizar-se não é ter a consciência de que explora e "racionalizar" sua culpa paternalistamente. A solidariedade, exigindo de quem se solidariza, que "assuma" a situação de com quem se solidarizou, é uma atitude radical.

Se o que caracteriza os oprimidos, como "consciência servil" em relação à consciência do senhor, é fazer-se quase "coisa" e transformar-se, como salienta Hegel[5], em "consciência para outro", a solidariedade verdadeira com eles está em *com* eles lutar para a transformação da realidade objetiva que os faz ser este "ser para outro".

O opressor só se solidariza com os oprimidos quando o seu gesto deixa de ser um gesto piegas e sentimental, de caráter individual, e passa a ser um ato de amor àqueles. Quando, para ele, os oprimidos deixam de ser uma designação abstrata e passam a ser os homens concretos, injustiçados e roubados. Roubados na sua palavra, por isto no seu trabalho comprado, que significa a sua pessoa vendida. Só na plenitude deste ato de amar, na sua *existenciação,* na sua práxis, se constitui a solidariedade verdadeira. Dizer que os homens são pessoas e, como pessoas, são livres, e nada concretamente fazer para que esta afirmação se objetive, é uma farsa.

Da mesma forma como é, em uma situação concreta – a da opressão – que se instaura a contradição opressor-oprimidos, a superação desta contradição só se pode verificar *objetivamente* também.

Daí, esta exigência radical, tanto para o opressor que se descobre opressor quanto para os oprimidos que, reconhecendo-se contradição daquele, desvelam o mundo da opressão e percebem os mitos que o alimentam – a radical exigência da transformação da situação concreta que gera a opressão.

Parece-nos muito claro, não apenas neste, mas noutros momentos do ensaio, que, ao apresentarmos esta radical exigência – a da transformação objetiva da situação opressora – combatendo um imobilismo subjetivista que transformasse o ter consciência da opressão numa espécie de espera paciente de que um dia a opressão desapareceria por si mesma, não estamos negando o papel da subjetividade na luta pela modificação das estruturas.

Não se pode pensar em objetividade sem subjetividade. Não há uma sem a outra, que não podem ser dicotomizadas.

A objetividade dicotomizada da subjetividade, a negação desta na análise da realidade ou na ação sobre ela, é *objetivismo*. Da mesma forma, a negação da objetividade, na análise como na ação, conduzindo ao subjetivismo que se alonga em posições solipsistas, nega a ação mesma, por negar a realidade objetiva, desde que esta passa a ser criação da consciência. Nem objetivismo, nem subjetivismo ou psicologismo, mas subjetividade e objetividade em permanente dialeticidade.

Confundir subjetividade com subjetivismo, com psicologismo, e negar-lhe a importância que tem no processo de transformação do mundo, da história, é cair num simplismo ingênuo. É admitir o impossível: um mundo sem homens, tal qual a outra ingenuidade, a do subjetivismo, que implica homens sem mundo.

Não há um sem os outros, mas ambos em permanente integração.

Em Marx, como em nenhum pensador crítico, realista, jamais se encontrará esta dicotomia. O que Marx criticou e, cientificamente destruiu, não foi a subjetividade, mas o subjetivismo, o psicologismo.

A realidade social, objetiva, que não existe por acaso, mas como produto da ação dos homens, também não se transforma por acaso. Se os homens são os produtores desta realidade e se esta, na "invasão da práxis", se volta sobre

4. *"The truth of the independent consciousness is (accordingly) the consciousness of the bondsman".* Hegel, **op. cit.**, p. 237.

5. Referindo-se à consciência senhorial e à consciência servil, diz Hegel: *"the one is independent, and its essential nature is to be for itself; the other is dependent and its essence is life of existence for another. The former is the Master, or Lord, the latter the Bondsman.* **Op. cit.**, p. 234.

eles e os condiciona, transformar a realidade opressora é tarefa histórica, é tarefa dos homens.

Ao fazer-se opressora, a realidade implica a existência dos que oprimem e dos que são oprimidos. Estes, a quem cabe realmente lutar por sua libertação juntamente com os que com eles em verdade se solidarizam, precisam ganhar a consciência crítica da opressão, na práxis desta busca.

Este é um dos problemas mais graves que se põem à libertação. É que a realidade opressora, ao constituir-se com um quase mecanismo de absorção dos que nela se encontram, funciona como uma força de imersão das consciências[6].

Neste sentido, em si mesma, esta realidade é funcionalmente domesticadora. Libertar-se de sua força exige, indiscutivelmente, a emersão dela, a volta sobre ela. Por isto é que só através da práxis autêntica, que não sendo "bla-bla-bla" nem ativismo, mas ação e reflexão, é possível fazê-lo.

"Hay que hacer la opresión, haciendo la infamia todavia mas infamante, al pregonaria"[7].

Este fazer "a opressão real ainda mais opressora, acrescentando-lhe a consciência da opressão", a que Marx se refere, corresponde à relação dialética subjetividade-objetividade. Somente na sua solidariedade, em que o subjetivo constitui com o objetivo uma unidade dialética, é possível a práxis autêntica.

A práxis, porém, é reflexão e ação dos homens sobre o mundo para transformá-lo. Sem ela, é impossível a superação da contradição opressor-oprimidos.

Desta forma, esta superação exige a inserção crítica dos oprimidos na realidade opressora, com que, objetivando-a, simultaneamente atuam sobre ela.

Por isto, inserção crítica e ação já são a mesma coisa. Por isto também é que o mero reconhecimento de uma realidade que não leve a esta inserção crítica – (ação já) não conduz a nenhuma transformação da realidade objetiva, precisamente porque não é reconhecimento verdadeiro.

Este é o caso de um "reconhecimento" de caráter puramente subjetivista, que é antes o resultado da arbitrariedade do subjetivista o qual, fugindo da realidade objetiva, cria uma falsa realidade "em si mesmo". E não é possível transformar a realidade concreta na realidade imaginária.

É o que ocorre, igualmente, quando a modificação da realidade objetiva fere os interesses individuais ou de classe de quem faz o reconhecimento.

No primeiro caso, não há inserção crítica na realidade, porque esta é fictícia; no segundo, porque a inserção contradiria os interesses de classe do reconhecedor.

A tendência deste é, então, comportar-se "neuroticamente". O fato existe, mas tanto ele quanto o que dele talvez resulte lhe podem ser adversos. Daí que seja necessário, numa indiscutível "racionalização", não propriamente negá-lo, mas vê-lo de forma diferente. A "racionalização" como mecanismo de defesa termina por identificar-se com o subjetivismo. Ao não negar o fato, mas ao distorcer suas verdades, a "racionalização" "retira" as bases objetivas do mesmo. O fato deixa de ser ele concretamente e passa a ser um mito criado para a defesa da classe do que fez o reconhecimento, que, assim, se torna falso. Desta forma, mais uma vez, é impossível a "inserção crítica", que só existe na dialeticidade objetividade-subjetividade.

Aí está uma das razões para a proibição, para as dificuldades no sentido de que as massas populares cheguem a "inserir-se" criticamente, na realidade. É que o opressor sabe muito bem que esta "inserção crítica" das massas oprimidas, na realidade opressora, em nada pode a ele interessar. O que lhe interessa, pelo contrário, é a permanência delas em seu estado de "imersão" em que, de modo geral, se encontram impotentes em face da realidade opressora, como "situação limite", que lhes parece intransponível.

É interessante observar a advertência que faz Lukács[8] ao partido revolucionário de que . . . *"il doit, pour employer les mots de Marx, expliquer aux masses leur propre action non seulement afin d'assurer la continuité des expériences revolutionnaires du prolétariat, mais aussi d'activer consciemment le développement ulterieur de ces expériences"*.

Ao afirmar esta necessidade, Lukács coloca, indiscutivelmente, a questão da "inserção crítica" a que nos referimos.

"Expliquer aux masses leur propre

6. "A ação libertadora implica num momento necessariamente consciente e volitivo, configurando-se como a prolongação e a inserção continuadas deste na história. A ação dominadora, entretanto, não supõe esta dimensão com a mesma necessariedade, pois a própria funcionalidade mecânica e inconsciente da estrutura é mantenedora de si mesma e, portanto, da dominação." De um trabalho inédito de José Luiz Fiori, a quem o autor agradece a possibilidade da citação.

7. MARX/ENGELS. **La sagrada família y otros escritos.** México, Grijalbo Editor, 1962, p. 6.

8. LUKÁCS, G. **Lenine.** Paris, Etudes et documentation internationales, 1965, p. 62.

action" é esclarecer e iluminar a ação, de um lado, quanto à sua relação com os dados objetivos que a provocam; de outro, no que diz respeito às finalidades da própria ação.

Quanto mais as massas populares desvelam a realidade objetiva e desafiadora sobre a qual elas devem incidir sua ação transformadora, tanto mais se "inserem" nela criticamente.

Desta forma, estarão ativando *"consciemment le développement ultérieur"* de suas experiências.

É que não haveria ação humana se não houvesse uma realidade objetiva, um mundo como "não eu" do homem, capaz de desafiá-lo; como também não haveria ação humana se o homem não fosse um "projeto", um mais além de si, capaz de captar a sua realidade, de conhecê-la para transformá-la.

Num pensar dialético, ação e mundo, mundo e ação estão intimamente solidários. Mas, a ação só é humana quando, mais que um puro fazer, é um que fazer, isto é, quando também não se dicotomiza da reflexão. Esta, necessária à ação, está implícita na exigência que faz Lukács da "explicação às massas de sua própria ação" – como está implícita na finalidade que ele dá a essa explicação – a de "ativar conscientemente o desenvolvimento ulterior da experiência".

Para nós, contudo, a questão não está propriamente em explicar às massas, mas em dialogar com elas sobre sua ação. De qualquer forma, o dever que Lukács reconhece ao partido revolucionário de "explicar às massas a sua ação" coincide com a exigência que fazemos da inserção crítica das massas na sua realidade através da práxis, pelo fato de nenhuma realidade se transformar a si mesma[9].

A pedagogia do oprimido que no fundo é a pedagogia dos homens empenhando-se na luta por sua libertação, tem suas raízes aí. E tem que ter nos próprios oprimidos que se saibam ou comecem criticamente a saber-se oprimidos um dos seus sujeitos.

Nenhuma pedagogia realmente libertadora pode ficar distante dos oprimidos, quer dizer, pode fazer deles seres desditados, objetos de um "tratamento" humanitarista, para tentar, através de exemplos retirados de entre os opressores, modelos para a sua "promoção". Os oprimidos hão de ser o exemplo para si mesmos, na luta por sua redenção.

A pedagogia do oprimido, que busca a restauração da intersubjetividade, se apresenta como pedagogia do Homem. Somente ela, que se anima de generosidade autêntica, humanista e não "humanitarista", pode alcançar este objetivo. Pelo contrário, a pedagogia que, partindo dos interesses egoístas dos opressores, egoísmo camuflado de falsa generosidade, faz dos oprimidos objetos de seu humanitarismo, mantém e encarna a própria opressão. É instrumento de desumanização.

Esta é a razão pela qual, como já afirmamos, esta pedagogia não pode ser elaborada nem praticada pelos opressores.

Seria uma contradição se os opressores não só defendessem, mas praticassem uma educação libertadora.

Se, porém, a prática desta educação implica poder político e se os oprimidos não o têm, como então realizar a pedagogia do oprimido antes da revolução?

Ainda que não queiramos antecipar-nos, poderemos, contudo, afirmar que um primeiro aspecto desta indagação se encontra na distinção entre *educação sistemática,* a que só pode ser mudada com o poder, e os *trabalhos educativos,* que devem ser realizados *com* os oprimidos, no processo de sua organização.

A pedagogia do oprimido, como pedagogia humanista e libertadora, terá dois momentos distintos. O primeiro, em que os oprimidos vão desvelando o mundo da opressão e vão comprometendo-se na práxis, com a sua transformação; o segundo, em que, transformada a realidade opressora, esta pedagogia deixa de ser do oprimido e passa a ser a pedagogia dos homens em processo de permanente libertação.

Em qualquer destes momentos, será sempre a ação profunda, através da qual se enfrentará, culturalmente, a cultura da dominação[10]. No primeiro momento, por meio da mudança da percepção do mundo opressor por parte dos oprimidos; no segundo, pela expulsão dos mitos criados e desenvolvidos na estrutura opressora e que se preservam como espectros míticos, na estrutura nova que surge da transformação revolucionária.

No primeiro momento, o da pedagogia do oprimido, objeto da análise

9. *"La teoría materialista de que los hombres son producto de las circunstancias y de la educación, u de que, por tanto los hombres modificados son producto de circunstancias distintas y de una educación distinta, olvida que las circunstancias se hacen cambiar precisamente por los hombres y que el proprio educador necessita ser educado."* Marx, **Tercera Tesis sobre Feuerbach**. MARX/ENGELS. **Obras escogidas**, Moscu, Editorial Progresso, 1966, tomo II, p. 404.

10. Este nos parece ser o fundamental aspecto da "Revolução Cultural".

deste capítulo, estamos em face do problema da consciência oprimida e da consciência opressora; dos homens opressores e dos homens oprimidos, em uma situação concreta de opressão. Em face do problema de seu comportamento, de sua visão do mundo, de sua ética. Da dualidade dos oprimidos. E é como seres duais, contraditórios, divididos, que temos de encará-los. A situação de opressão em que se "formam", em que "realizam" sua existência, os constitui nesta dualidade, na qual se encontram proibidos de ser. Basta, porém, que homens estejam sendo proibidos de ser mais para que a situação objetiva em que tal proibição se verifica seja, em si mesma, uma violência. Violência real, não importa que, muitas vezes, adocicada pela falsa generosidade a que nos referimos, porque fere a ontológica e histórica vocação dos homens – a do *Ser Mais*.

Daí que, estabelecida a relação opressora, esteja inaugurada a violência, que jamais foi até hoje, na história, deflagrada pelos oprimidos.

Como poderiam os oprimidos dar início à violência, se eles são o resultado de uma violência?

Como poderiam ser os promotores de algo que, ao instaurar-se objetivamente, os constitui?

Não haveria oprimidos, se não houvesse uma relação de violência que os conforma como violentados, numa situação objetiva de opressão.

Inauguram a violência os que oprimem, os que exploram, os que não se reconhecem nos outros; não os oprimidos, os explorados, os que não são reconhecidos pelos que os oprimem como *outro*.

Inauguram o desamor não os desamados, mas os que não amam, porque apenas *se* amam.

Os que inauguram o terror não são os débeis, que a ele são submetidos, mas os violentos que, com seu poder, criam a situação concreta em que se geram os "demitidos da vida", os esfarrapados do mundo.

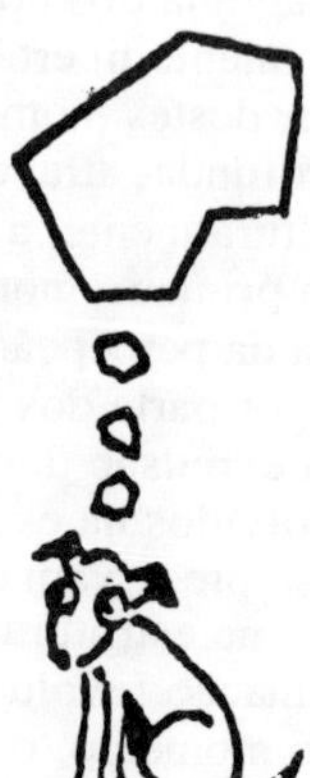

Quem inaugura a tirania não são os tiranizados, mas os tiranos.

Quem inaugura o ódio não são os odiados, mas os que primeiro odiaram.

Quem inaugura a negação dos homens não são os que tiveram a sua humanidade negada, mas os que a negaram, negando também a sua.

Quem inaugura a força não são os que se tornaram fracos sob a robustez dos fortes, mas os fortes que os debilitaram.

Para os opressores, porém, na hipocrisia de sua "generosidade", são sempre os oprimidos, que eles jamais, obviamente, chamam de oprimidos, mas, conforme se situem, interna ou externamente, de "essa gente" ou de "essa massa cega e invejosa", ou de "selvagens", ou de "nativos", ou de "subversivos", são sempre os oprimidos os que desamam. São sempre eles os "violentos", os "bárbaros", os "malvados", os "ferozes", quando reagem à violência dos opressores.

Na verdade, porém, por paradoxal que possa parecer, na resposta dos oprimidos à violência dos opressores é que vamos encontrar o gesto de amor. Consciente ou inconscientemente, o ato de rebelião dos oprimidos, que é sempre tão ou quase tão violento quanto a violência que os cria, este ato dos oprimidos, sim, pode inaugurar o amor.

Enquanto a violência dos opressores faz dos oprimidos homens proibidos de *ser*, a resposta destes à violência daqueles se encontra infundida do anseio de busca do direito de ser.

Os opressores, violentando e proibindo que os outros sejam, não podem igualmente ser; os oprimidos, lutando por ser, ao retirar-lhes o poder de oprimir e de esmagar, lhes restauram a humanidade que haviam perdido no uso da opressão.

Por isto é que somente os oprimidos, libertando-se, podem libertar os opressores. Estes, enquanto classe que oprime, nem libertam, nem se libertam.

O importante, por isto mesmo, é que a luta dos oprimidos se faça para superar a contradição em que se acham. Que esta superação seja o surgimento do homem novo – não mais opressor, não mais oprimido, mas homem libertando-se. Precisamente porque, se sua luta é no sentido de fazer-se Homem, que estavam sendo proibidos de ser, não o conseguirão se apenas invertem os termos da contradição. Isto é, se apenas mudam de lugar, nos pólos da contradição.

Esta afirmação pode parecer ingênua. Na verdade, não o é.

Reconhecemos que, na superação da contradição opressores-oprimidos, que somente pode ser tentada e realizada por estes, está implícito o desaparecimento dos primeiros, enquanto classe que oprime. Os freios que os antigos oprimidos devem impor aos antigos opressores para que não voltem a oprimir não são *opressão* daqueles a estes. A opressão só existe quando se constitui em um ato proibitivo do *Ser Mais* dos homens. Por esta razão, estes freios, que são necessários, não significam, em si mesmos, que os oprimidos de ontem se tenham transformado nos opressores de hoje.

Os oprimidos de ontem, que detêm os antigos opressores na sua ânsia de oprimir, estarão gerando, com seu ato, liberdade, na medida em que, com ele, evitam a volta do regime opressor. Um ato que proíbe a restauração deste regime não pode ser comparado com o que o cria e o mantém; não pode ser comparado com aquele através do qual alguns homens negam às maiorias o direito de ser.

No momento, porém, em que o novo poder se enrijece em "burocracia"[11] dominadora, se perde a dimensão humanista da luta e já não se pode falar em libertação.

Daí a afirmação anteriormente feita, de que a superação autêntica da contradição opressores-oprimidos não está na pura troca de lugar, na passagem de um pólo a outro. Mais ainda: não está em que os oprimidos de hoje, em nome de sua libertação, passem a ter novos opressores.

Mas, o que ocorre, ainda quando a superação da contradição se faça em termos autênticos, com a instalação de uma nova situação concreta, de uma nova realidade inaugurada pelos oprimidos que se libertam, é que os opressores de ontem não se reconheçam em libertação. Pelo contrário, vão sentir-se como se realmente estivessem sendo oprimidos. É que, para eles, "formados" na experiência de opressores, tudo o que não seja o seu direito antigo de oprimir, significa opressão a eles. Vão sentir-se, agora, na nova situação, como oprimidos porque, se antes podiam comer, vestir, calçar, educar-se, passear, ouvir Beethoven, enquanto milhões não comiam, não calçavam, não vestiam, não estudavam nem tampouco passeavam, quanto mais podiam ouvir Beethoven, qualquer restrição a tudo isto, em nome do direito de todos, lhes parece uma profunda violência a seu direito de pessoa. Direito de pessoa que, na situação anterior, não respeitavam nos milhões de pessoas que sofriam e morriam de fome, de dor, de tristeza, de desesperança.

É que, para eles, pessoa humana são apenas eles. Os outros, estes são "coisas". Para eles, há um só direito – o seu direito de viverem em paz, ante o direito de sobreviverem, que talvez nem sequer reconheçam, mas somente admitam aos oprimidos. E isto ainda, porque, afinal, é preciso que os oprimidos existam, para que eles existam e sejam "generosos" . . .

Esta maneira de assim proceder, de assim compreender o mundo e os homens (que necessariamente os faz reagir à instalação de um novo poder) explica-se, como já dissemos, na experiência em que se constituem como classe dominadora.

Em verdade, instaurada uma situação de violência, de opressão, ela gera toda uma forma de ser e comportar-se nos que estão envolvidos nela. Nos opressores e nos oprimidos. Uns e outros, porque concretamente banhados nesta situação, refletem a opressão que os marca.

Na análise da situação concreta, existencial, de opressão, não podemos deixar de surpreender o seu nascimento num ato de violência que é inaugurado – repitamos – pelos que têm poder.

Esta violência, como um processo, passa de geração a geração de opressores, que se vão fazendo legatários dela e formando-se no seu clima geral. Este clima cria nos opressores uma consciência fortemente possessiva. Possessiva do mundo e dos homens. Fora da posse direta, concreta, material, do mundo e dos homens, os opressores não se podem entender a si mesmos. Não podem ser. Deles como consciências necrófilas, diria Fromm que, sem esta posse, *"perderiam el contacto con el mundo"*[12]. Daí que tendam a transformar tudo o que os cerca em objetos de seu domínio. A terra, os bens, a produção, a criação dos homens, os homens mesmos, o tempo em que estão os homens, tudo se reduz a objeto de seu comando.

Nesta ânsia irrefreada de posse, desenvolvem em si a convicção de que lhes é possível transformar tudo a seu poder de compra. Daí a sua concepção estritamente materialista da existência. O dinheiro é a medida de todas as coisas. E o lucro, seu objetivo principal.

11. Este enrijecimento não se confunde, pois, com os freios referidos anteriormente e que têm de ser impostos aos antigos opressores para que não restaurem a ordem dominadora. É de outra natureza. Implica na revolução que, estagnando-se, volta-se contra o povo, usando o mesmo aparato burocrático repressivo do Estado, que devia ter sido radicalmente suprimido, como tantas vezes salientou Marx.

12. FROMM, Erich. **El corazón del hombre.** México. Fondo de Cultura Económica, 1967, p. 41.

Por isto é que, para os opressores, o que vale é *ter mais* e cada vez *mais*, à custa, inclusive, do *ter menos* ou do *nada ter* dos oprimidos. *Ser*, para eles , é *ter* e ter como classe que tem.

Não podem perceber, na situação opressora em que estão, como usufrutuários, que, se *ter* é condição para *ser*, esta é uma condição necessária a todos os homens. Não podem perceber que, na busca egoísta do *ter* como classe que tem, se afogam na posse e já não são. Já não podem ser.

Por isto tudo é que a sua generosidade, como salientamos, é falsa.

Por isto tudo é que a humanização é uma "coisa" que possuem como direito exclusivo, como tributo herdado. A humanização é apenas sua. A dos outros, dos seus contrários, se apresenta como subversão. Humanizar é, naturalmente, segundo seu ponto de vista, subverter, e não *Ser Mais*.

Ter mais, na exclusividade, não é um privilégio desumanizante e inautêntico dos demais e de si mesmos, mas um direito intocável. Direito que "conquistaram com seu esforço, com sua coragem de correr risco" . . . Se os outros – "esses invejosos" – não têm, é porque são incapazes e preguiçosos a que juntam ainda um injustificável mal-agradecimento a seus "gestos generosos". E, porque "mal-agradecidos e invejosos", são sempre vistos os oprimidos como seus inimigos potenciais a quem têm de observar e vigiar.

Não poderia deixar de ser assim. Se a humanização dos oprimidos é subversão, sua liberdade também o é. Daí a necessidade de seu constante controle. E, quanto mais controlam os oprimidos, mais os transformam em "coisa", em algo que é como se fosse inanimado.

Esta tendência dos opressores de inanimar tudo e todos, que se encontra em sua ânsia de posse, se identifica, indiscutivelmente, com a tendência sadista. *"El placer del dominio completo sobre otra persona (o sobre otra creatura animada),* diz Fromm, *es la esencia misma del impulso sádico. Otra manera de formular la misma idea es decir que el fin del sadismo es convertir un* ***hombre em cosa****, algo animado en algo inanimado, ya que mediante el control completo y absoluto el vivir pierde uma cualidad esencial de la vida: la libertad"*[13].

O sadismo aparece, assim, como uma das características da consciência opressora, na sua visão necrófila do mundo. Por isto é que o seu amor é um amor às avessas – um amor à morte e não à vida.

Na medida em que, para dominar, se esforçam por deter a ânsia de busca, a inquietação, o poder de criar, que caracterizam a vida, os opressores matam a vida.

Daí que vão se apropriando, cada vez mais, da ciência também, como instrumento para suas finalidades. Da tecnologia, que usam como força indiscutível de manutenção da "ordem" opressora, com a qual manipulam e esmagam[14].

Os oprimidos como objetos, como quase "coisas", não têm finalidades. As suas, são as finalidades que lhes prescrevem os opressores.

Em face de tudo isto é que se coloca a nós mais um problema de importância inegável a ser observado no corpo destas considerações que é o da adesão e conseqüente passagem que fazem representantes do pólo opressor ao pólo dos oprimidos. De sua adesão à luta destes por libertar-se.

Cabe a eles um papel fundamental, como sempre tem cabido na história desta luta.

Acontece, porém, que, ao passarem de exploradores ou de espectadores indiferentes ou de herdeiros da exploração – o que é uma conivência com ela – ao pólo dos explorados, quase sempre levam consigo, condicionados pela "cultura do silêncio"[15], toda a marca de sua origem. Seus preconceitos. Suas deformações entre estas, a desconfiança do povo. Desconfiança de que o povo seja capaz de pensar certo. De querer. De saber.

Deste modo, estão sempre correndo o risco de cair num outro tipo de generosidade tão funesto quanto o que criticamos nos dominadores.

Se esta generosidade não se nutre, como no caso dos opressores, da ordem injusta que precisa ser mantida para justificá-la; se querem realmente transformá-la, na sua deformação, contudo acreditam que devem ser os fazedores da transformação.

Comportam-se, assim, como quem não crê no povo, ainda que nele falem. E crer no povo é a condição prévia, indispensável, à mudança revolucionária. Uma revolucionária se reconhece mais por esta crença no povo, que o engaja,

13. FROMM, Erich. **El corazón del hombre.** México. Fondo de Cultura Económica, 1967, p. 30.

14. A propósito das "formas dominantes de controle social" ver: MARCUSE, Herbert. **L'homme unidimensionel** e **Eros et Civilisation.** Paris, Les Editions de Minuit. 1968, 1961.

15. A propósito de "Cultura do silêncio", ver FREIRE, Paulo. **Cultural action for freedom.** Cambridge, Massachusetts, Center for the Study of Development and Social Change, 1970. Este ensaio apareceu primeiramente, em **Harvard Educational Review,** nos seus números de maio e agosto de 1970.

do que por mil ações sem ela.

Àqueles que se comprometem autenticamente com o povo é indispensável que se revejam constantemente. Esta adesão é de tal forma radical que não permite a quem a faz comportamentos ambíguos.

Fazer esta adesão e considerar-se proprietário do saber revolucionário, que deve, desta maneira, ser doado ou imposto ao povo, é manter-se como era antes.

Dizer-se comprometido com a libertação e não ser capaz de *comungar* com o povo, a quem continua considerando absolutamente ignorante, é um doloroso equívoco.

Aproximar-se dele, mas sentir, a cada passo, a cada dúvida, a cada expressão sua, uma espécie de susto, é pretender impor o seu *status*, é manter-se nostálgico de sua origem.

Daí que esta passagem deva ter o sentido profundo do renascer. Os que passam têm de assumir uma forma nova de *estar sendo*; já não podem atuar como atuavam; já não podem permanecer como estavam sendo.

Será na sua convivência com os oprimidos, sabendo-se também um deles – somente a um nível diferente de percepção da realidade – que poderão compreender as formas de ser e comportar-se dos oprimidos, que refletem, em momentos diversos, a estrutura da dominação.

Uma destas, de que já falamos rapidamente, é a dualidade existencial dos oprimidos que, "hospedando" o opressor cuja "sombra" eles "introjetam", são eles e ao mesmo tempo são o outro. Daí que, quase sempre, enquanto não chegam a localizar o opressor concretamente, como também enquanto não cheguem a ser "consciência para si", assumam atitudes fatalistas em face da situação concreta de opressão em que estão[16].

Este fatalismo, às vezes, dá a impressão, em análises superficiais, de docilidade, como caráter nacional, o que é um engano. Este fatalismo, alongado em docilidade, é fruto de uma situação histórica e sociológica e não um traço essencial da forma de ser do povo.

Quase sempre este fatalismo está referido ao poder do destino ou da sina ou do fado – potências irremovíveis – ou a uma distorcida visão de Deus. Dentro do mundo mágico ou místico em que se encontra a consciência oprimida, sobretudo camponesa, quase imersa na natureza[17], encontra no sofrimento, produto da exploração em que está, a vontade de Deus, como se Ele fosse o fazedor desta "desordem organizada".

Na "imersão" em que se encontram, não podem os oprimidos divisar, claramente, a "ordem" que serve aos opressores que, de certa forma, "vivem" neles. "Ordem" que, frustrando-os no seu atuar, muitas vezes os leva a exercer um tipo de violência horizontal com que agridem os próprios companheiros[18]. É possível que, ao agirem assim, mais uma vez explicitem sua dualidade. Ao agredirem seus companheiros oprimidos estarão agredindo neles, indiretamente, o opressor também "hospedado" neles e nos outros. Agridem, como opressores, o opressor nos oprimidos.

Há, por outro lado, em certo momento da experiência existencial dos oprimidos, uma irresistível atração pelo opressor. Pelos seus padrões de vida. Participar destes padrões constitui uma incontida aspiração. Na sua alienação querem, a todo custo, parecer com o opressor. Imitá-lo. Segui-lo. Isto se verifica, sobretudo, nos oprimidos de "classe média", cujo anseio é serem iguais ao "homem ilustre" da chamada classe "superior".

É interessante observar como Memmi[19], em uma excepcional análise da "consciência colonizada", se refere à sua repulsa de colonizado ao colonizador mesclada, contudo, de "apaixonada" atração por ele.

A autodesvalia é outra característica dos oprimidos. Resulta da introjeção que fazem eles da visão que deles têm os opressores[20].

De tanto ouvirem de si mesmos que são incapazes, que não sabem nada, que não podem saber, que são enfermos, indolentes, que não produzem em virtude de tudo isto, terminam por se convencer de sua "incapacidade"[21]. Falam de si como os que não sabem e do "doutor" como o que sabe e a quem deve escutar. Os critérios de saber que lhe são impostos são os convencionais.

Não se percebem, quase sempre, conhecendo, nas relações que estabelecem com o mundo e com os outros homens, ainda que um conhecimento ao nível da pura "doxa"

Dentro dos marcos concretos em

16. "O camponês, que é um dependente, começa a ter ânimo para superar sua dependência quando se dá conta de sua dependência. Antes disto, segue o patrão e diz quase sempre: "que posso fazer, se sou um camponês?" (Palavras de um camponês durante entrevista com o autor. Chile).

17. Ver MENDES, Cândido A. **Memento dos vivos – a esquerda católica no Brasil.** Rio de Janeiro, Tempo Brasileiro, 1966.

18. FANON, Frantz. **Los condenados de la tierra.** México, Fondo de Cultura, 1965.
... *"el colonizado no deja de liberarse entre las nueve de la noche y las seis de la mañana. Essa agresividad sedimentada en sus músculos va a manifestarla al colonizado primero contra los suyos"...*, p. 46.

19. MEMMI, Albert. *"How could the colonizer look after his workers while periodically gunning down a crowd of the colonized? How could the colonized deny himself so cruelly yet make such excessive demands? How could he hate the colonizers and yet admire them so passionately? (I too felt this admiration,* diz Memmi, *in spite of myself).* MEMMI, Albert. **The colonizer and the colonized.** Boston, Beacon Press, 1967, p. 10.

20. "O camponês se sente inferior ao patrão porque este lhe aparece como o que tem o mérito de saber e dirigir" (entrevista do autor com um camponês).

21. Ver a este respeito o livro citado de Albert Memmi.

que se fazem duais é natural que descreiam de si mesmos[22].

Não são poucos os camponeses que conhecemos em nossa experiência educativa que, após alguns momentos de discussão viva em torno de um tema que lhes é problemático, param de repente e dizem ao educador: "Desculpe, nós devíamos estar calados e o senhor falando. O senhor é que sabe; nós, os que não sabemos".

Muitas vezes insistem em que nenhuma diferença existe entre eles e o animal e, quando reconhecem alguma, é em vantagem do animal. "É mais livre do que nós", dizem.

É impressionante, contudo, observar como, com as primeiras alterações numa situação opressora, se verifica uma transformação nesta autodesvalia. Escutamos, certa vez, um líder camponês dizer, em reunião, numa das unidades de produção – *asentamiento* – da experiência chilena de reforma agrária: "Diziam de nós que não produzíamos porque éramos *borrachos*, preguiçosos. Tudo mentira. Agora, que estamos sendo respeitados como homens, vamos mostrar a todos que nunca fomos *'borrachos'*, nem preguiçosos. Éramos explorados, isto sim", concluiu enfático.

Enquanto se encontra nítida sua ambigüidade, os oprimidos dificilmente lutam, nem sequer confiam em si mesmos. Têm uma crença difusa, mágica, na invulnerabilidade do opressor[23]. No seu poder de que sempre dá testemunho. Nos campos, sobretudo, se observa a força mágica do poder do senhor[24]. É preciso que comecem a ver exemplos da vulnerabilidade do opressor para que, em si, vá operando-se convicção oposta à anterior. Enquanto isto não se verifica, continuarão abatidos, medrosos, esmagados[25].

Até o momento em que os oprimidos não tomem consciência das razões de seu estado de opressão, "aceitam" fatalistamente a sua exploração. Mais ainda, provavelmente assumam posições passivas, alheadas, com relação à necessidade de sua própria luta pela conquista da liberdade e de sua afirmação no mundo. Nisto reside sua "conivência" com o regime opressor.

A pouco e pouco, porém, a tendência é assumir formas de ação rebelde. Num que fazer libertador, não se pode perder de vista esta maneira de ser dos oprimidos, nem esquecer este momento de despertar.

Dentro desta visão inautêntica de si e do mundo os oprimidos se sentem como se fossem uma quase "coisa" possuída pelo opressor. Enquanto, no seu afã de possuir, para este, como afirmamos, *ser* é *ter* à custa quase sempre dos que não têm, para os oprimidos, num momento de sua experiência existencial, ser nem sequer é ainda *parecer* com o opressor mas é estar *sob* ele. É depender. Daí que os oprimidos sejam dependentes emocionais[26].

É este caráter de dependência emocional e total dos oprimidos que os pode levar a manifestações que Fromm chama de necrófilas. De destruição da vida. Da sua ou da do outro, oprimido também.

Somente quando os oprimidos descobrem, nitidamente, o opressor, e se engajam na luta organizada por sua libertação, começam a crer em si mesmos, superando, assim, sua "conivência" com o regime opressor. Se esta descoberta não pode ser feita em nível puramente intelectual, mas da ação, o que nos parece fundamental é que esta não se cinja a mero ativismo, mas esteja associada a sério empenho de reflexão, para que seja práxis.

O diálogo crítico e libertador, por isto mesmo que supõe a ação, tem de ser feito com os oprimidos, qualquer que seja o grau em que esteja a luta por sua libertação. Não um diálogo às escâncaras, que provoca a fúria e a repressão maior do opressor.

O que pode e deve variar, em função das condições históricas, em função do nível de percepção da realidade que tenham os oprimidos é o conteúdo do diálogo. Substituí-lo pelo anti-diálogo, pela *sloganização,* pela verticalidade, pelos comunicados é pretender a libertação dos oprimidos com instrumentos da "domesticação". Pretender a libertação deles sem a sua reflexão no ato desta libertação é transformá-los em objeto que se devesse salvar de um incêndio. É fazê-los cair no engodo populista e transformá-los em massa de manobra.

Os oprimidos, nos vários momentos de sua libertação, precisam reconhecer-se como homens, na sua vocação ontológica e histórica de *Ser Mais*. A reflexão e a ação se impõem, quando não se pretende, erroneamente,

22. "Por que o senhor (... disse certa vez um camponês participante de um 'círculo de cultura' ao educador...) não explica primeiramente os quadros (referia-se às codificações). Assim, concluiu, nos custará menos e não nos dói a cabeça."

23. "O camponês tem um medo quase instintivo do patrão" (entrevista com um camponês).

24. Recentemente, num país latino-americano, segundo depoimento que nos foi dado por sociólogo amigo, um grupo de camponeses armados, se apoderou do latifúndio. Por motivos de ordem tática, se pensou em manter o proprietário como refém. Nenhum camponês, contudo, conseguiu dar guarda a ele. Sua só presença os assustava. Possivelmente também a ação mesma de lutar contra o patrão lhes provocasse sentimento de culpa. O patrão, na verdade, estava "dentro" deles..

25. Neste sentido ver, DEBRET, Régis. **La revolución en la revolución.**

26. "O camponês é um dependente. Não pode expressar o seu querer. Antes de descobrir sua dependência, sofre. Desabafa sua "pena" em casa, onde grita com os filhos, bate, desespera-se. Reclama da mulher. Acha tudo mal. Não desabafa sua "pena" com o patrão porque o considera um ser superior. Em muitos casos, o camponês desabafa sua 'pena" bebendo" (entrevista).

dicotomizar o conteúdo da forma histórica de ser do homem.

Ao defendermos um permanente esforço de reflexão dos oprimidos sobre suas condições concretas, não estamos pretendendo um jogo divertido em nível puramente intelectual. Estamos convencidos, pelo contrário, de que a reflexão, se realmente reflexão, conduz à prática.

Por outro lado, se o momento já é o da ação, esta se fará autêntica práxis se o saber dela resultante se faz objeto da reflexão crítica. Neste sentido, é que a práxis constitui a razão nova da consciência oprimida e que a revolução, que inaugura o momento histórico desta razão, não possa encontrar viabilidade fora dos níveis da consciência oprimida.

A não ser assim, a ação é puro ativismo.

Desta forma, nem um diletante jogo de palavras vazias – quebra-cabeça intelectual – que, por não ser reflexão verdadeira, não conduz à ação, nem ação pela ação. Mas ambas, ação e reflexão, como unidade que não deve ser dicotomizada.

Para isto, contudo, é preciso que creiamos nos homens oprimidos. Que os vejamos como capazes de pensar certo também.

Se esta crença nos falha, abandonamos a idéia ou não a temos, do diálogo, da reflexão, da comunicação e caímos nos *slogans*, nos comunicados, nos depósitos, no dirigismo. Esta é uma ameaça contida nas inautênticas adesões à causa da libertação dos homens.

A ação política junto aos oprimidos tem de ser, no fundo, "ação cultural" para a liberdade, por isto mesmo, ação com eles. A sua dependência emocional, fruto da situação concreta de dominação em que se acham e que gera também a sua visão inautêntica do mundo, não pode ser aproveitada a não ser pelo opressor. Este é que se serve desta dependência para criar mais dependência.

A ação libertadora, pelo contrário, reconhecendo esta dependência dos oprimidos como ponto vulnerável, deve tentar, através da reflexão e da ação, transformá-la em independência. Esta, porém, não é doação que uma liderança, por mais bem intencionada que seja, lhes faça. Não podemos esquecer que a libertação dos oprimidos é libertação de homens e não de "coisas". Por isto, se não é autolibertação – ninguém se liberta sozinho – também não é libertação de uns feita por outros.

Não se pode realizar com os homens pela "metade"[27]. E, quando o tentamos, realizamos a sua deformação. Mas, deformados já estando, enquanto oprimidos, não pode a ação de sua libertação usar o mesmo procedimento empregado para sua deformação.

O caminho, por isto mesmo, para um trabalho de libertação a ser realizado pela liderança revolucionária não é a "propaganda libertadora". Não está no mero ato de "depositar" a crença da liberdade nos oprimidos, pensando conquistar a sua confiança, mas no dialogar com eles.

Precisamos estar convencidos de que o convencimento dos oprimidos de que devem lutar por sua libertação não é doação que lhes faça a liderança revolucionária, mas resultado de sua conscientização.

É necessário que a liderança revolucionária descubra esta obviedade: que seu convencimento da necessidade de lutar, que constitui uma dimensão indispensável do saber revolucionário, não lhe foi doado por ninguém, se é autêntico. Chegou a este saber, que não é algo parado ou possível de ser transformado em conteúdo a ser depositado nos outros, por um ato total de reflexão e de ação.

Foi a sua inserção lúcida na realidade, na situação histórica, que a levou à crítica desta mesma situação e ao ímpeto de transformá-la.

Assim também é necessário que os oprimidos, que não se engajam na luta sem estar convencidos e, se não se engajam, retiram as condições para ela, cheguem, como sujeitos, e não como objetos, a este convencimento. É preciso que também se insiram criticamente na situação em que se encontram e de que se acham marcados. E isto a propaganda não faz. Se este convencimento, sem o qual, repitamos, não é possível a luta, é indispensável à liderança revolucionária, que se constitui a partir dele, o é também aos oprimidos. A não ser que se pretenda fazer *para* eles a transformação e não *com* eles – somente como nos parece verdadeira esta transformação.

Ao fazermos estas considerações, outra coisa não estamos tentando senão defender o caráter eminentemente pedagógico da revolução.

27. Referimo-nos à redução dos oprimidos à condição de meros objetos da ação libertadora que, assim, é realizada mais *sobre* e para eles do que *com* eles, como deve ser.

Se os líderes revolucionários de todos os tempos afirmam a necessidade do convencimento das massas oprimidas para que aceitem a luta pela libertação – o que de resto é óbvio – reconhecem implicitamente o sentido pedagógico desta luta. Muitos, porém, talvez por preconceitos naturais e explicáveis contra a pedagogia, terminam usando, na sua ação, métodos que são empregados na "educação" que serve ao opressor. Negam a ação pedagógica no processo de libertação, mas usam a propaganda para convencer...

Desde o começo mesmo da luta pela humanização, pela superação da contradição opressor-oprimidos, é preciso que eles se convençam de que esta luta exige deles, a partir do momento em que a aceitam, a sua responsabilidade total. É que esta luta não se justifica apenas em que passem a ter liberdade para comer, mas "liberdade para criar e construir, para admirar e aventurar-se. Tal liberdade requer que o indivíduo seja ativo e responsável, não um escravo nem uma peça bem alimentada da máquina. Não basta que os homens não sejam escravos; se as condições sociais fomentam a existência de autômatos, o resultado não é o amor à vida, mas o amor à morte[28]".

Os oprimidos que se "formam" no amor à morte, que caracteriza o clima da opressão, devem encontrar na sua luta, o caminho do amor à vida, que não está apenas no comer mais, se bem que implique também nele e dele não possa prescindir.

É como homens que os oprimidos têm de lutar e não como "coisas". É precisamente porque reduzidos a quase "coisas", na relação de opressão em que estão, que se encontram destruídos. Para reconstruir-se é importante que ultrapassem o estado de quase "coisas". Não podem comparecer à luta como quase "coisas", para depois ser homens. É radical esta exigência. A ultrapassagem deste estado, em que se destróem, para o de homens, em que se reconstróem, não é *a posteriori*. A luta por esta reconstrução começa no auto-reconhecimento de homens destruídos.

A propaganda, o dirigismo, a manipulação, como armas da dominação, não podem ser instrumentos para esta reconstrução.

Não há outro caminho senão o da prática de uma pedagogia humanizadora, em que a liderança revolucionária, em lugar de se sobrepor aos oprimidos e continuar mantendo-os como quase "coisas", com eles estabelece uma relação dialógica permanente.

Prática pedagógica em que o método deixa de ser, como salientamos no nosso trabalho anterior, instrumento do educador (no caso a liderança revolucionária), com o qual manipula os educandos (no caso os oprimidos), porque é já a própria consciência.

"O método é, na verdade (...diz o Prof. Álvaro Vieira Pinto...), a forma exterior e materializada em atos, que assume a propriedade fundamental da consciência: a sua intencionalidade. O próprio da consciência é estar com o mundo e este procedimento é permanente e irrecusável. Portanto, a consciência é, em sua essência, um 'caminho para' algo que não é ela, que está fora dela, que a circunda e que ela apreende por sua capacidade ideativa. Por definição, continua o professor brasileiro, a consciência é, pois, método, entendido este no seu sentido de máxima generalidade. Tal é a raiz do método, assim como tal é a essência da consciência, que só existe enquanto faculdade abstrata e metódica."

Porque assim é, a educação a ser praticada pela liderança revolucionária se faz co-intencionalidade.

Educador e educandos (liderança e massas), co-intencionados à realidade, se encontram numa tarefa em que ambos são sujeitos no ato não só de desvelá-la e, assim, criticamente conhecê-la, mas também no recriar este conhecimento.

Ao alcançarem, na reflexão e na ação em comum, este saber da realidade, se descobrem como seus refazedores permanentes.

Deste modo, a presença dos oprimidos na busca de sua libertação, mais que pseudo-participação, é o que deve ser: engajamento.

28. FROMM, Erich. **El corazón del hombre.** México, Fondo de Cultura Económica, 1967, p. 54-55.

Questões para REFLEXÃO

Compare as contradições opressor/oprimido e "planejadores de ensino (gramáticos)/usuários da língua"!

Paulo Freire fala da conivência dos oprimidos com os opressores. Pense na questão do "certo" e do "errado" neste contexto.

Relacione o conteúdo deste texto com a seguinte obviedade: "A língua de um povo é a língua usada por este povo". Numa situação de opressão isso se verifica? Situe a chamada "norma gramatical" neste contexto!

Relacione o "ter mais" com o conceito de "norma lingüística culta" vigente!

Numa situação de opressão, não interessa a criatividade do povo. Relacione isto com a dificuldade que a maioria das pessoas tem de produzir textos!

EXERCÍCIO

Além de refletir sobre as questões sugeridas, redija uma historinha (um fato vivido, ouvido etc., contanto que seja conhecido por você). Guarde-a. Ela será usada oportunamente.

Obs.: Se você quiser, pode redigir mais de uma. Melhor ainda!

LEITURAS RECOMENDADAS

- GNERRE, Maurizzio. **Linguagem, escrita e poder.** S. Paulo, Martins Fontes, 1985.
- ________ Linguagem e poder. In: **Subsídios à proposta curricular de língua portuguesa para 2º grau.** Variação lingüística e ensino da língua materna. S. Paulo, SE/CENP/UNICAMP, 1978, v.4, p.44-62.
- SOARES, Magda B. **Linguagem e escola. Uma perspectiva social.** S. Paulo, Ática, 1986.

Lembrete: Para escrever bem, é necessário ler muito e escrever muito, criticamente.

2 Linguagem, Conhecimento e Cultura

ADAM SCHAFF

É tempo de apresentar o problema do **papel ativo da linguagem na atividade intelectual do homem**. Não podemos esperar resultados definitivos (já constatamos que a ausência dos estudos empíricos requeridos tornava tais esperanças ilusórias); temos, porém, o direito às expectativas do que possa resultar de uma ótica do problema alargada e aprofundada como a nossa. É por isso que um ensaio que vise totalizar os resultados obtidos, pode ser útil.

Pode-se captar o problema do papel ativo da linguagem na atividade intelectual do homem em função do que entendemos por esta atividade, isto é: como **o problema do papel da linguagem no pensamento,** ou como **o problema do papel da linguagem no conhecimento humano**. O conhecimento humano é, com efeito, um tipo particularmente qualificado do pensamento – tanto no sentido do **ato** como no sentido do **produto**. Por conseqüência, assumem categorias diferentes e mostram-nos diferentes aspectos os mesmos problemas e as mesmas questões, em função do contexto mais largo ou mais estreito da sua análise.

Existe ainda uma terceira aproximação do problema do papel ativo da linguagem na atividade intelectual do homem: analisando a linguagem do ponto de vista das suas **funções** e da sua **significação** para a **cultura**, compreendida esta tanto no sentido de operações definidas, como no sentido dos seus produtos. Esta terceira aproximação do problema tem, por certo, a mesma extensão que as anteriores, mas possui, mais, a sua esfera particular e distinta de questões e de problemas.

Segundo o indicado no título do capítulo, concentrar-nos-emos sobre o problema do **papel ativo da linguagem no conhecimento humano e na cultura** (com vista a assinalar, pelo menos, uma nova problemática de pesquisas extremamente interessantes). Entretanto, por força das coisas, teremos de ocupar-nos também de um problema mais largo: o do **papel ativo da linguagem no**

pensamento – quando mais não fosse tendo em consideração a necessidade de recordar os resultados das considerações anteriores. A ordem da análise, ditada pela lógica interna, será a seguinte: começaremos pelo **pensamento**, passaremos em seguida ao **conhecimento**, abordaremos depois os problemas da **cultura**.

Terminamos a nossa análise da relação da linguagem ao pensamento, com as conclusões seguintes: A *palavra* é sempre uma operação de pensamento, no sentido da experiência que o sujeito faz das significações das palavras, tanto sob a forma de conceitos como sob a forma de representações; a *linguagem* (de que a palavra é a atualização) é, *ex definitione*, um pensamento *in potentia*, visto que o sinal lingüístico possui, *ex definitione*, uma significação. A linguagem é, portanto, uma unidade verbal e mental. Quanto ao *pensamento* – o pensamento *humano* (e não a orientação no mundo do animal, do bebê ou do afásico, a que, por vezes, se dá o nome de processo de pensamento, num sentido mais lato desta palavra) – ele opera-se sempre numa língua determinada, visto que o pensamento conceptual é irrealizável sem os sinais da linguagem sonora (eventualmente, da sua transcrição noutro sistema). Entretanto, não se segue daí que o pensamento humano seja unicamente redutível aos conceitos ligados aos sinais lingüísticos: é também composto – tanto genética como atualmente – de um elemento representativo que não é idêntico à linguagem, ainda que dependa dela por diversos modos. Assim, pois, é complexa a relação do pensamento e da linguagem e, ainda que seja indissolúvel o seu liame, não se pode *identificar* o pensamento com a linguagem (a proposição que enuncia que o pensamento humano está indissociavelmente ligado à linguagem – por outras palavras, que é impossível sem a linguagem – não tem um caráter analítico).

Na base destas considerações, podemos compreender a tese do *papel ativo da linguagem no processo do pensamento,* pelo menos em três acepções:

a) Na primeira acepção, estamos perante o fato de que o pensamento *conceptual* seria impossível *sem* um sistema definido de sinais (por conseguinte, também, sem um sistema de regras semânticas e de regras gramaticais, fora do qual não se pode falar de sistema de sinais *lingüísticos*). Podemos formular essa proposição noutros termos: os sistemas de sinais, chamados *línguas*, são os suportes do pensamento conceptual. Neste sentido, portanto, a nossa tese reduz-se à constatação fundamental de que a existência da linguagem é a *condição necessária* (ciências tais como a fisiologia, a psicologia, a lingüística, etc. explicam o que quer dizer isso) do pensamento conceptual.

b) Mas a acepção essencial da tese do *papel ativo da linguagem no processo do pensamento* é a que obtemos ao afirmar que a linguagem, enquanto *produto* definido, constitui o fundamento social, dado, do pensamento individual. A faculdade de falar, no caso de um indivíduo humano normal, só é inata enquanto *faculdade de aprender a falar* – fato que se explica pela estrutura hereditária do cérebro, do aparelho vocal etc. Mas a *palavra* enquanto tal não é inata, e não se desenvolve de uma maneira natural, sem a ingerência do processo social da educação. Ora, dado que o pensamento conceptual é inconcebível sem a linguagem, em conseqüência do processo complexo da educação social, o homem não só aprende a falar, mas também a pensar. Faz essa dupla aprendizagem recebendo da sociedade um produto completamente feito: a *unidade linguagem-pensamento*, que é a experiência acumulada na filogênese e fixada nas categorias da linguagem.

Essa cristalização da experiência social é o ponto de partida e o fundamento de todo o pensamento individual – fundamento que a sociedade transmite ao indivíduo da maneira mais ditatorial, escapando ao controle do indivíduo (afora os casos de uma auto-reflexão, particularmente profunda). O pensamento individual é criador e inovador – do contrário, não se poderia falar do progresso das ciências e da cultura. Mas o indivíduo raramente é capaz e propenso a admitir que vê o mundo através do prisma das gerações passadas, que a sua inovação tem uma base estritamente determinada, uma base de que ninguém consegue desprender-se inteiramente.

Enquanto ponto de partida social do pensamento individual, a linguagem é a *mediadora* entre o que é social, dado, e

o que é individual, criador, no pensamento individual. Na realidade, a sua mediação exerce-se nos dois sentidos: não só transmite aos indivíduos a experiência e o saber das gerações *passadas*, mas também se apropria dos novos resultados do pensamento individual, a fim de transmiti-los – sob a forma de um produto social – às gerações *futuras*.

Torna-se, assim, pois, a linguagem (enquanto unidade *linguagem-pensamento*), no processo do pensamento humano, um *fator criador* num sentido particularmente importante desta palavra. Funciona, nesse processo, como uma aquisição social da filogênese, que se atualiza na ontogênese do indivíduo humano. Não é *arbitrário* o conteúdo desta aquisição, visto que as experiências das gerações passadas contêm em si uma soma determinada de conhecimento *objetivo* do mundo, sem a qual o homem não poderia adaptar a sua ação ao seu meio-ambiente e não poderia subsistir enquanto espécie. Aprendendo ao mesmo tempo a falar e a pensar, assimilamos essa aquisição de uma maneira relativamente fácil; não temos que redescobrir constantemente a América – o que tornaria impossível todo o progresso intelectual e cultural. Mas essa herança das gerações passadas exerce uma ação onipotente e das mais despóticas sobre a nossa visão atual do mundo, desde a sua articulação na percepção sensitiva até os matizes emocionais do nosso pensamento cognitivo. Repitamo-lo, por prudência: a linguagem não é *o único* fator que determine o nosso pensamento; é, contudo, um fator de uma enorme potência de ação e de grande importância.

Assim, pois, quando falamos, na segunda acepção, do papel ativo da linguagem no processo do pensamento, entendemos com isso, que a linguagem socialmente transmitida ao indivíduo humano forma a base necessária do seu pensamento, a base que o liga aos outros membros da mesma comunidade lingüística e na qual se funda sua criação intelectual individual.

Se rejeitarmos a mística do "espírito da nação", da "força vital nacional" etc., associada à explicação desse fenômeno, poderemos encontrar, no enunciado exposto acima, idéias que, consignadas em diversas versões teóricas, passam e perpassam nas ciências humanas européias, desde os tempos de Herder e de Humboldt. Esse enunciado contém os elementos racionais da tese sobre a linguagem, enquanto fator *mediador* entre o indivíduo humano e o mundo dos objetos, bem como da tese segundo a qual cada língua contém em si "uma visão do mundo" definida, um esquema ou um estereótipo determinado da intuição do mundo das coisas. Libertos da mística, estes pontos de vista constituem, incontestavelmente, observações geniais a respeito do papel do fator subjetivo no pensamento humano.

c) É neste contexto que se perfila a terceira acepção da tese sobre o papel ativo da linguagem no processo do pensamento. Esta acepção é de algum modo uma versão modificada, mais particular, da segunda; tendo em consideração o seu alcance e a sua importância, requer, porém, ser analisada à parte. Trata-se da asserção segundo a qual a linguagem não só constitui o ponto de partida social e a base do pensamento individual, *mas influencia também o "nível" da abstração e da generalização deste pensamento* (o que tem uma importância enorme para o pensamento conceptual).

Sabemos (já falamos disso anteriormente) que as línguas se distinguem não só pela sua fonética, pela sua morfologia, pela sua sintaxe ou pelo seu vocabulário, mas também pela qualidade desse vocabulário, quanto ao reflexo mais ou menos generalizado do mundo. É difícil responder à questão de saber que língua é desenvolvida e que língua é primitiva, visto que uma tal apreciação necessita sempre de um sistema de referência e muda com esse sistema. Mas é incontestável que as línguas podem ser classificadas em tipos, em função da natureza dos conceitos expressos, que muitas línguas não possuem certas noções gerais, que substituem por uma profusão de nomes concretos. Sabe-se, igualmente, que também a sintaxe pode agir neste sentido, isto é, pode contribuir ou não para a expressão abstrata das coisas, das ações, etc. Este fenômeno traduz nitidamente a influência ativa da linguagem no pensamento, ainda que não se possa captar plenamente essa influência, senão compreendendo que *a linguagem e o pensamento são geneticamente o produto da prática humana.*

Descobrimos novos aspectos do problema, logo que as nossas considerações tomam por objetivo não o pensamento em geral, mas o *conhecimento* no sentido de pensamento particularmente qualificado. Com efeito, consideramos aqui o conhecimento como um processo de pensamento (respectivamente, o seu produto) cujo resultado é a descrição da realidade; por *descrição* entendemos, em contrapartida, uma informação não só sobre os diferentes fatos, mas também sobre as suas diversas correlações, incluindo as leis coexistenciais e dinâmicas. É precisamente quando é referido ao conhecimento que o problema do papel ativo da linguagem se manifesta de uma maneira particularmente evidente.

O processo do conhecimento está indissociavelmente ligado à prática – e isso, de modos diversos. A estrada do conhecimento tem o seu início na *prática*, ou, em termos mais precisos, o conhecimento começa onde se manifestem necessidades práticas, dando lugar a uma "ordem-encomenda" cognitiva. Em numerosos casos, é imediata a relação entre o conhecimento e a prática, mas, mesmo nos domínios mais abstratos e mais autônomos dos estudos científicos, pode sempre demonstrar-se uma relação genética, pelo menos, indireta com a prática. É evidente que resolvemos, ao mesmo tempo, as duas questões – a da gênese do conhecimento e a da sua finalidade: o conhecimento serve – direta ou indiretamente – para a prática humana, ainda que certos pensadores nem sempre tomem consciência disso e até rejeitem redondamente essa possibilidade. Entretanto, o que nos interessa mais, no nosso caso, é uma outra relação do conhecimento com a prática, a relação mais dissimulada, porque a mais freqüente – e que se opera pela *linguagem*.

Voltemos a uma idéia fundamental: a linguagem contém em si e fixa a experiência e o saber das gerações passadas. É evidente que se fala aqui da *linguagem na sua unidade com o pensamento*, da linguagem enquanto sistema de suportes materiais de *significações* definidas, portanto, enquanto sistema de regras semânticas e de regras gramaticais, que religam aos sons definidos (ou a outros suportes materiais) significações definidas. É precisamente nesta acepção que a linguagem constitui, de algum modo, uma *prática condensada* que, aproveitando essa via como a mais sugestiva e a mais fácil, penetra no nosso conhecimento atual.

Em primeiro lugar, como provam os dados experimentais de que dispomos, a *linguagem influencia o nosso modo de* percepção *da realidade*. Esta tese significa exatamente o seguinte (como já o precisamos): a linguagem, que é um *reflexo* específico da realidade, é também, em certo sentido, a *criadora* da nossa imagem do mundo. No sentido em que a nossa articulação do mundo é, pelo menos, em certa medida, a função da experiência não só individual, mas também social, transmitida ao indivíduo pela educação e, antes de tudo, pela linguagem. A questão é, aliás, mais complicada do que parece, a partir do raciocínio exposto acima, visto que o que chamamos experiência individual está também implicado em esquemas e estereótipos de origem social. Ao formular o problema nestes termos, nós captamos a influência da linguagem na percepção sensível, sem cair nem no extremo do subjetivismo, nem no extremo do realismo ingênuo.

Se o esquimó *vê* dezenas de espécies de neve, enquanto o polonês das montanhas só vê algumas e o citadino uma única, isso significa não que cada um deles *crie* voluntariamente uma imagem subjetiva do mundo, mas que procede simplesmente a uma outra articulação do mundo *objetivo*, na base da prática social e da prática individual associada à primeira. É, no entanto, um fato que o esquimó, deste ponto de vista, *percebe* realmente o mundo de maneira diferente, mais concretamente do que o habitante de um país tropical; consegue-o, entre outras razões, devido à influência da linguagem que lhe ensinaram e que *o obriga* a essa articulação complicada, pondo à sua disposição toda uma série de nomes concretos para os diferentes gêneros da neve, em vez de uma só noção geral. Seria oportuno proteger esta asserção com toda uma série de reservas antisubjetivistas, mas, de toda maneira, aparece aí clara e distintamente o papel ativo da linguagem no processo do conhecimento.

O problema toma uma feição análoga, quando se examina outra variante do fenômeno acima descrito, ou seja, quando constatamos a influência do modo de formação da frase (a influência da sintaxe, em particular) sobre o modo de percepção da realidade. Mencionamos, por exemplo, o fato de que é impossível, na língua de certas tribos ameríndias, dizer, em geral, que uma pessoa se desloca, mata, caça etc., e que, ao contrário, se tem de concretizar essas ações com a ajuda de diferentes complementos tais como o tempo, o lugar, o método de ação etc. É evidente que, neste caso, não se trata só do modo de *expressão*, mas também do modo de *percepção* da realidade, modo que está indissociavelmente ligado à maneira de falar dessa realidade e de a pensar. Com efeito, uma vez que o nosso índio fala e pensa numa língua dada, que, pelas suas categorias e pelas suas regras de gramática, *o obriga* a proceder a um exame da realidade de maneira a ter em conta toda uma série de detalhes concretos, que escapam normalmente ao campo de visão dos membros das comunidades lingüísticas européias – o nosso índio, por conseguinte, não só *fala* de modo diferente, mas também *percebe* de modo diferente.

Uma vez mais, não há nada de misterioso, nem de arbitrário nesse fenômeno, pois a linguagem foi socialmente modelada na base de uma *prática* social determinada, é o reflexo de uma situação concreta e constitui a resposta às questões práticas derivadas dessa situação. Uma vez formada, porém, a linguagem influencia o conhecimento humano e assume nele um papel ativo. Não se poderá, entretanto, objetar a esta asserção o fato conhecido de que toda língua pode ser traduzida para outra língua, de que se pode até, com a ajuda de comentários apropriados, transcrever para a língua mais concreta dos índios categorias tão gerais como, por exemplo, a ação de "ir"? Não; uma coisa não contradiz a outra (voltaremos, aliás, a esta questão). Enquanto não for modificado o sistema categorial e gramatical de uma língua, essa língua define um modo determinado da *percepção* da realidade pelos membros do grupo lingüístico dado.

Entretanto, o elemento mais importante que caracteriza melhor o papel ativo da linguagem no conhecimento é a influência do *aparelho conceptual* de uma língua dada (entendemos por isso não só os seus recursos lexicais, mas também o seu sistema de normas gramaticais, que determinam o modo do funcionamento do léxico) sobre a possibilidade e a maneira de formular perguntas "endereçadas" à realidade. É nessa idéia que eu vejo o elemento racional do *convencionalismo* dito *radical* – fato que gostaria de sublinhar tanto mais quanto critiquei muitas vezes esta teoria e parecidas. Na minha opinião, o seu erro – e isto produz-se freqüentemente na filosofia – consistia em ter acentuado excessivamente uma idéia, até o ponto de fazer dela um absoluto. Mas a idéia em si mesma é incontestavelmente fecunda, baseada que é numa observação exata do papel ativo da linguagem no processo do conhecimento.

E repitamo-lo uma vez mais: poderemos contestar a legitimidade da definição de "primitivas" relativamente às línguas das sociedades ditas inferiores, mas é incontestável que uma língua que não conheça os nomes gerais do gênero "planta", "animal" etc. e das categorias, com a ajuda das quais poderia construir um sistema numérico desenvolvido, é incontestável que uma tal língua não se presta à descoberta da álgebra ou da teoria da relatividade. É evidente que o problema levantado é muito mais profundo e complicado; aqui, porém, só pretendo sublinhar o fato incontestável de que se é impossível *pensar* uma questão numa língua dada, quando mais não fosse tendo em consideração a pobreza dos seus meios, é igualmente impossível *pôr* essa questão. Ora, é por esse procedimento (perguntas-respostas) que a linguagem influencia ativamente a possibilidade do estudo da realidade e, portanto, o seu conhecimento.

Significará isto que se tem de dar razão aos defensores das diversas versões do *relativismo lingüístico?* De modo nenhum, visto que o relativismo lingüístico enuncia teses muito mais radicais do que as que é possível defender à luz dos fatos.

Se, pelo *relativismo lingüístico*, entendemos a tese segundo a qual a linguagem assume um papel ativo no conhecimento, e tem, portanto, cabimento indicar, pelo menos em certas circunstâncias, o *aparelho conceptual da linguagem* ao qual deve ser referido o *conhecimento* é evidente o problema e não pode levantar objeções depois dos raciocínios expostos até aqui. A desgraça é que os partidários do relativismo lingüístico não entendem, de modo algum, esta versão moderada do papel da linguagem no conhecimento.

Entendem ordinariamente uma tese mais radical, que enuncia que os diferentes sistemas lingüísticos condicionam modos de conhecimento tão diferentes que são *intraduzíveis*. Era essa a idéia principal do *convencionalismo* dito *radical*; nessa direção tendia uma certa interpretação da hipótese de Sapir-Worf.

Desde que subordina toda a estrutura do conhecimento à linguagem, e chega, conseqüentemente, à conclusão de que a linguagem é a criadora *da nossa imagem do mundo (sendo oposta à teoria do reflexo a concepção da "linguagem-criadora"), o relativismo lingüístico é essencialmente falso.*

O que provaremos graças aos argumentos seguintes:

Em primeiro lugar, a experiência refuta a tese da existência de línguas reciprocamente *intraduzíveis* e, por conseqüência, a tese segundo a qual as línguas podem condicionar imagens do mundo tão diferentes, que seria impossível encarar uma atividade coordenada dos homens, que falam e pensam nessas diferentes línguas.

Todas as línguas são traduzíveis uma nas outras, ainda que essa operação possa ser, por vezes, muito árdua (como provam os exemplos que cita Malinowski e nos quais uma tradução, com sentido,

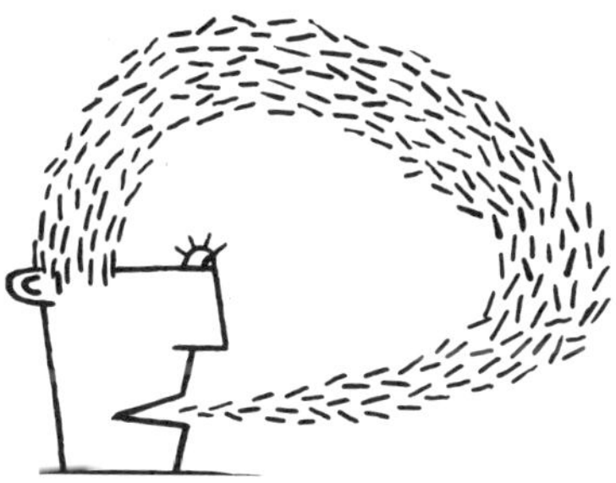

só é possível na base de um profundo conhecimento da cultura da sociedade dada) e se possa perder pelo caminho o mundo das imagens e das emoções associadas à língua traduzida (sobretudo quando se trata de sistemas lingüísticos afastados e isolados, uns em relação aos outros). Podemos traduzir para as línguas européias os enunciados concretos das línguas ditas primitivas; podemos também – como demonstra a experiência – traduzir as categorias abstratas das línguas européias para as línguas primitivas, com a condição de recorrer aos comentários e às modificações adequados.

O erro do relativismo lingüístico torna-se ainda mais evidente quando examinamos as conseqüências que se podem deduzir das suas teses (na sua interpretação radical) para o domínio das atividades e das atitudes humanas. Com efeito, se *sistemas lingüísticos diametralmente opostos* (e, por esse motivo, intraduzíveis um no outro) dessem origem a *imagens do mundo diametralmente diferentes,* os *comportamentos* dos homens que falam essas línguas deveriam ser – em condições idênticas – *totalmente diferentes.*

É esse um evidente sem-sentido, quando mais não fosse tendo em consideração as conseqüências biológicas destrutivas, que um comportamento inadaptado acarretaria consigo (e, nesse caso, um dos comportamentos seria incontestavelmente inadaptado). Ora, não observamos nada de semelhante na realidade. Os homens podem exprimir os mesmos conteúdos de modos diversos; podem – em função do seu meio-ambiente – senti-los sob a forma de imagens diferentes; podem, ainda – em função das condições que lhes são impostas pela luta biológica – concentrar sua atenção em coisas e fenômenos diferentes, classificar diferentemente os fragmentos da realidade objetiva etc., etc. Mas, nos seus contornos gerais, a sua imagem da realidade será *a mesma*, e, por conseqüência, no processo do conhecimento dessa realidade, todos os homens – seja qual for a língua em que pensem – serão capazes de desenvolver atividades adaptadas ao mundo exterior. Por exemplo, a altura, para um esquimó, associar-se-á à imagem dos icebergs, para um habitante dos trópicos, à imagem das palmeiras, para um habitante do Tibete, à imagem dos altos picos, enquanto para o habitante de uma grande cidade que jamais saiu dela se associará à imagem dos arranha-céus. Talvez que essas diferentes condições de existência encontrem também o seu reflexo nas línguas desses homens. Mas seguir-se-á daí que essas línguas sejam intraduzíveis, que os homens que as falam sejam incapazes de comunicar entre si e empreender atividades adaptadas e coordenadas?

Este último exemplo leva-nos ao segundo argumento, que refuta o relativismo lingüístico.

Apesar das diferenças atribuíveis à gênese e ao condicionamento dos diferentes sistemas de linguagem e de pensamento, estes possuem um elemento comum graças ao qual são traduzíveis, e que permite a comunicação entre homens saídos dos meios-ambientes mais diversos e afastados, educados em condições naturais e sociais diferentes. Esse elemento está relacionado com *a comunidade dos destinos biológicos do gênero humano nas condições da realidade terrestre* e, por conseqüência, com *a comunidade do reflexo da realidade terrestre na linguagem e no pensamento.* Com a condição de serem conduzidas a uma escala adequadamente extensa, as pesquisas sobre os *universais lingüísticos*, atualmente tão em voga, deveriam ser bem sucedidas. Por certo existem *universais* em todas as línguas, independentemente das diferenças existentes, e prova-o a comunicação real que se estabelece entre as culturas. Este é certamente um argumento que prova contra a interpretação radical do relativismo lingüístico.

Podemos, finalmente, adiantar ainda um argumento ligado ao fato da dinâmica das línguas. Apesar do seu conservantismo, as línguas não são imutáveis. Pelo contrário, sofrem modificações constantes, sobretudo na sua matéria semântica. Este fato é atribuível a diversas causas: as mudanças na vida social acarretam consigo a necessidade de modificar a linguagem, quando mais não fosse enriquecendo o seu léxico. Efeito análogo é causado pelos contatos com as culturas estrangeiras, que agem sobre a linguagem por contágio. O progresso da civilização, que significa também um progresso nos contatos entre as culturas humanas, age progressivamente sobre o nivelamento das diferenças entre os aparelhos conceptuais das diferentes línguas, sendo a sua eventual ação, pelo contrário, mais fraca sobre sua fonética, sua gramática e seus elementos representativos e afetivos. Podemos, portanto, deduzir pelo menos duas conclusões (dirigidas ambas contra o relativismo lingüístico): 1) uma vez que tais mudanças se produzem também em conseqüência dos contatos de culturas muito diferentes, não se pode admitir a versão radical do relativismo lingüístico segundo a qual os sistemas lingüísticos, que relevam de tipos muito diferentes, não poderiam ser traduzidos uns nos outros; 2) o progresso da civilização nivela pouco a pouco as diferenças ao nível dos conteúdos das línguas.

Assim, pois, devemos rejeitar o relativismo lingüístico na sua versão radical, que transforma em absoluto a idéia, de resto racional, do *papel ativo da linguagem no conhecimento humano*; idéia que incontestavelmente se impõe relevar e examinar atentamente.

Fica ainda um terceiro plano sobre o qual podemos analisar o nosso problema, nomeadamente a cultura enquanto "depósito" de certos processos, dos seus produtos e de comportamentos humanos definidos.

É claro que não nos vamos lançar aqui em considerações complicadas e em longas discussões a respeito da definição de cultura. Não arriscaremos nada se aceitarmos a definição muito lata, sem pretensões de precisão, proposta por Sapir, e segundo a qual chamamos *cultura ao que uma dada sociedade pensa e faz*. Com este ponto de partida, a relação da *linguagem* e da *cultura* – considerada enquanto relação de causa a efeito – é bilateral. Trata-se aqui, efetivamente, tanto da influência da cultura sobre a linguagem, como da ação da linguagem – enquanto sistema definido de sinais e de significações – sobre o desenvolvimento da cultura.

Deixaremos o primeiro aspecto do problema (como nas análises precedentes) fora das nossas considerações. Não porque lhe recusemos importância – muito pelo contrário – mas porque é um problema tipicamente lingüístico que requer as competências de um lingüista, sobretudo no domínio histórico e comparativo. O saber que o filósofo poderia extrair a este respeito da literatura especializada, não lhe autorizaria generalizações. Tanto mais que a discussão existente no meio dos lingüistas a propósito da questão fundamental: *terá influência o desenvolvimento da cultura no desenvolvimento da linguagem?* – não só ainda não foi dirimida mas é conduzida preferencialmente à maneira dos "filósofos". Marr, por exemplo, transforma a linguagem (que ele capta na sua unidade com o pensamento) em *ideologia*, e funda sua teoria dos estádios do desenvolvimento da linguagem numa tese a enunciar que *o sistema lingüístico é o reflexo do sistema social, do sistema de classes*. Sapir – pelo contrário – considera que *a linguagem não depende em nada do desenvolvimento da cultura* (compreendendo a "linguagem" enquanto sistema fonético e gramatical, sem ter em conta seu aspecto semântico). Parece-me que o ponto de vista de Sapir e dos outros filósofos com opiniões semelhantes é restringido por uma definição imprópria da linguagem. O que de modo nenhum quer dizer que se tenha de aceitar a concepção radical proposta por Marr.

Mas – na minha opinião – um ponto de vista que aconselhe a pesquisa da *influência da cultura sobre a linguagem* é mais fecundo para os estudos do que aquele que exclui antecipadamente essa influência. Tanto mais que o argumento de Sapir segundo o qual *os conteúdos* do pensamento humano (a cultura) não têm influência sobre *os modos* de pensamento (a linguagem) não é convincente. Dissemos há pouco que era melhor deixar este gênero de questões aos lingüistas, ainda que estes, infelizmente, não tenham progredido até agora quase nada nesse domínio. A doença das simplificações tem atingido não só pensadores do gênero de Marr, mas também idealistas declarados, tais como, por exemplo, K. Vossler.[1]

Ocupemo-nos do segundo aspecto do problema, o que nos interessa particularmente: o da *influência da linguagem sobre o estado e o desenvolvimento da cultura*.

Se incluirmos no conceito de "cultura" os pensamentos dos homens que pertencem a uma dada sociedade, os produtos desses pensamentos (sobretudo do gênero da ciência, da técnica, da arte) e os comportamentos humanos, esboça-se imediatamente um programa concreto de estudos.

O primeiro ponto desse programa está contido na análise, a que se procedeu acima, da influência da

1. **Frankreichs Kultur im Spiegel seiner Kulturentwicklung,** Heidelberg, 1913.

linguagem sobre o processo do pensamento e do conhecimento. E, na verdade, não temos mais nada que acrescentar.

O segundo ponto consiste em estabelecer a influência da linguagem sobre produtos do pensamento humano, tais como a ciência, a técnica, a arte, etc. Trata-se de vasto problema culturológico que aqui só podemos assinalar, pois deveria constituir objeto de um estudo monográfico distinto.

À luz das nossas considerações anteriores sobre *o caráter lingüístico do pensamento conceptual, é evidente que a linguagem exerce uma ação, tanto na produção científica e técnica, como na produção artística* (principalmente na literatura, mas também na música e na pintura). Já constatamos que seria impossível exprimir e pensar a teoria da relatividade na língua de uma tribo primitiva australiana. Da mesma maneira que não seria possível realizar nela a música moderna (nem sequer a música de Bach) e a pintura moderna. Estas artes podem ser uma imitação das "primitivas", mas apesar disso (ou, talvez, graças a isso), são o produto de um pensamento conceptual altamente desenvolvido, que é irrealizável sem uma língua adequadamente formada. Não é de confundir a criação autenticamente primitiva com sua "imitação" consciente (evidentemente, sempre de uma maneira "estilizada"). Esta questão também deve ser elucidada, e os especialistas na matéria ainda não disseram grande coisa a seu respeito.

Deste ponto de vista, é melhor a situação no que concerne à elaboração do terceiro problema: o da *influência da linguagem sobre o comportamento dos homens*.

A psicologia social, a sociologia e as outras ciências que se consagram ao comportamento social dos homens, puseram de manifesto o papel dos *estereótipos* nas atitudes e nas atividades humanas. A educação (que é sempre uma educação social concreta, num meio-ambiente determinado e num grupo social determinado) transmite ao indivíduo humano o saber social acumulado, não só sob a forma da linguagem na sua unidade com o pensamento, mas também sob a forma dos sistemas de valores e, em conseqüência, dos estereótipos dos comportamentos humanos que merecem ser qualificados de exemplares, de gloriosos, de generosos etc. Infelizmente, sabemos ainda muito pouca coisa sobre este último assunto, extremamente importante do ponto de vista social. Os estudos consagrados ao "tabu" nas sociedades primitivas, estão, por certo, muito mais adiantados do que os estudos relativos aos estereótipos nas sociedades contemporâneas, em geral, e ao papel da linguagem nesses estereótipos, em particular.

Na sociedade primitiva, a linguagem faz a sua ingerência no comportamento humano principalmente a título de elemento do sistema dos *tabus* em vigor – eventualmente a título de elemento do sistema mágico e religioso. *Na sociedade civilizada, a função mágica da linguagem, sem se manifestar com tanta nitidez, não desaparece de modo algum.* Não é, porém, dessa função que se trata, mas da sua forma mais sublimada, que se manifesta quando a sociedade transmite ao indivíduo – com a linguagem e graças à linguagem – certos estereótipos de comportamento, que agem sobre a consciência (como sobretudo o que está ligado à linguagem) com tanto mais força quanto são, tendo em atenção o seu caráter ordinário e sugestivo, mais difíceis de decifrar e, portanto, aceitas na maior parte dos casos como coisas "naturais".

Tomemos, por exemplo, uma sociedade em que, por estas ou aquelas razões, reinam preconceitos, aversões religiosas, sociais, raciais, nacionalistas etc. Uma criança educada nesse espírito, aceita certos estereótipos de comportamento como se fossem os seus e naturais. Na maior parte dos casos, estão estes ligados à linguagem, a um nome definido que fixa o conteúdo "rico" dos preconceitos, das aversões, das hostilidades ou, pelo contrário, dos sentimentos positivos; não sendo essa palavra de modo algum exterior em relação às atitudes e aos comportamentos humanos, mas resultando seu elemento adequado (da mesma maneira que não é exterior em relação aos conteúdos definidos que lhe são referidos). É incontestável a analogia entre os estados afetivos, provocados por palavras tais como: "pagão", "protestante", "campônio", "burguês", "negro", "judeu" etc., e os conteúdos afetivos ligados aos tabus.

Mas essa não é senão uma

analogia, pois a situação das sociedades ditas civilizadas é, sob diferentes aspectos, muito mais complicada. É por isso que "a tirania das palavras" – de que fala a chamada semântica geral – não é de modo algum uma invenção desprovida de sentido. É verdade que essa invenção foi posta em ridículo pela semântica acadêmica, enquanto a literatura marxista (que – diga-se entre parênteses – confunde geralmente, de modo implacável, a semântica geral e a semântica acadêmica), a qualificava até de reacionária. Contudo, afirmo que há aí uma idéia digna de atenção e que as outras correntes não relevavam: *a linguagem age sobre o comportamento dos homens.*

É certo que a semântica geral levava, por vezes, essa idéia até ao absurdo, e o fundador desta corrente, Korzybski, considerava até a linguagem como a fonte das mais diversas perturbações. O que não impede que essa idéia constitua, em certa medida, uma descoberta importante. É o que explica o motivo por que – perante a estupefação dos críticos – se verifica ser eficaz a semântica geral no domínio da *terapia.* Com efeito, quando a terapia tem principalmente por objetivo levar os homens à *consciência semântica*, fazer-lhes captar o papel da linguagem nas suas atitudes e estereótipos (muitas vezes, bastará destruir a sugestão de que se trata de uma coisa "natural"), não é nada de espantar que esse método seja eficaz. Entre outras coisas, o "diferencial semântico" de Korzybski serve para fazer compreender, o mais sugestiva e simplesmente possível, que o nome geral a que está ligado o estereótipo, não se deve confundir com os diferentes exemplares da classe que ele designa etc., etc. De qualquer maneira, os casos citados indicam à nossa atenção que este domínio de fenômenos pode constituir também um vasto campo de pesquisas, onde podem ser atingidos sérios resultados, com a condição de se rejeitarem todas as ingenuidades e os extremos da semântica geral.

Dever-se-ia tratar esse problema como fazendo parte de um programa de estudos maior. Porquanto, como já assinalamos, estamos a penetrar no domínio da *sociologia do conhecimento*, compreendida no sentido lato, que agora consideramos de outro ponto de vista. Com efeito, se o sociólogo do conhecimento enuncia que captamos sempre o mundo (social, em particular) sob um ângulo de visão concreto, determinado pelos interesses de um dado grupo social, poderemos alargar essa aproximação, introduzindo-lhe o ângulo de visão determinado pelo papel da linguagem no conhecimento e no desenvolvimento da cultura. Pois o problema do *ângulo de visão*, o problema do condicionamento social refere-se não só ao conhecimento em geral, ao conhecimento científico em particular, mas também às atitudes humanas e aos seus estereótipos de comportamento. É precisamente neste domínio que o papel ativo da linguagem, enquanto um dos fatores determinantes, é particularmente importante.

Uma concepção assim larga da problemática examinada dá, na minha opinião, novos conteúdos à tese que enuncia *ser a linguagem não só um dos elementos, mas também um dos co-criadores da cultura*. Quando nos libertarmos de todo o lastro de mística que geralmente se introduz na esfera das considerações deste gênero, a linguagem descobrirá, ao mesmo tempo, sob os nossos olhos, novos aspectos e novas possibilidades de estudo. Novos conteúdos virão enriquecer a descoberta que fizeram, no dealbar do nosso século, os primeiros pensadores que enunciaram que a linguagem é, não só o *instrumento*, mas também o *objeto* de pesquisas no domínio da teoria do conhecimento. Nenhuma razão para nos espantarmos com esses novos conteúdos: é o que ordinariamente se produz quando estamos em presença de uma descoberta verdadeiramente importante.

Questões para REFLEXÃO

É possível pensar sem linguagem? Por quê?

Especifique mais o papel da linguagem do pensamento e no conhecimento.

Dominar a linguagem tem a ver com a habilidade de pensamento? Quem a domina pode atuar melhor (mais eficientemente) na realidade social? Para escrever bem é necessário pensar bem?

Ao criar um texto, estamos intervindo na realidade. Você acha que com isto estamos criando um dado cultural?

Entre outras coisas, a linguagem é um instrumento para atuarmos na realidade (embora tenhamos que aperfeiçoar este instrumento). Portanto, é necessário conhecê-la sob todos os ângulos.

EXERCÍCIO

Produza um texto descritivo: descreva uma cena presenciada por você, de modo detalhado. Guarde o texto para ser usado posteriormente.

LEITURAS RECOMENDADAS

- GNERRE, Maurizzio. **Linguagem, escrita e poder.** S. Paulo, Martins Fontes, 1985.
- PRADO Jr., Caio. **Introdução à lógica dialética** São Paulo, Brasiliense, 1979.
- WITTGENSTEIN, Ludwig. **Tratactus logico-philosophicus.** S. Paulo, Cia. Editora Nacional, 1968.

Lembrete: Para escrever bem, é necessário ler muito e escrever muito, criticamente.

3

A Variação Lingüística

ROBERTO H. CAMACHO

Os membros de uma nação, ligados por traços sócio-culturais, econômicos e políticos, tradicionalmente firmados, identificam-se e distinguem-se dos membros de outra pelo seu instrumento de comunicação, além, evidentemente, de outros traços até mais importantes. É falso supor, entretanto, que a diversidade lingüística se realiza somente à esquerda e à direita de uma fronteira política.[1]

A linguagem humana varia de acordo com o grau de contato entre os seres que constituem a comunidade universal. O que se convenciona por língua portuguesa, língua espanhola, língua francesa etc., é obviamente o resultado de um grau mínimo de contato cultural entre os povos falantes de cada língua, cuja conseqüência imediata é a dificuldade de comunicação, a ponto de um indivíduo que fale francês não entender outro que fale português e assim por diante.

As diferenças entre os idiomas, que caracterizam e mesmo identificam os nativos de uma nação, estão longe de ser o único e mesmo principal fator da diversidade lingüística. Uma língua é um objeto histórico, enquanto saber transmitido, estando, portanto, sujeita às eventualidades próprias de tal tipo de objeto. Isso significa que se transforma no tempo e se diversifica no espaço.

Ainda que um saber transmitido por gerações anteriores, sendo uma continuação do que foi em épocas anteriores, é evidente que a etapa presente, por todos conhecida, de uma língua não é de nenhum modo idêntica, mas somente semelhante, a qualquer etapa anterior.

Por outro lado, para ilustrar com um exemplo, as modalidades de língua portuguesa de aquém e de além-mar não são exatamente idênticas, de tal modo que um brasileiro pode perfeitamente identificar um português pelas características específicas de seu modo de falar. Um outro exemplo: sem sair das fronteiras políticas brasileiras, é possível também identificar um nordestino e distingui-lo de um paulista, pelo seu modo característico de falar.

1. Do mesmo modo que é falso supor que as fronteiras políticas delimitam fronteiras lingüísticas. Os limites entre duas línguas não são nítidos, mas graduais.

Os fatores de diversidade lingüística não ficam, assim, limitados aos aspectos temporal e espacial. Podem-se identificar e distinguir dois falantes de uma mesma comunidade lingüística, geograficamente falando, por suas características decorrentes de diferente nível cultural. Com efeito, não é provável que um indivíduo iletrado se expresse de modo idêntico a um outro com nível cultural mediano ou altamente cultivado.

Restringir a variação lingüística às relações unicamente interindividuais seria considerar que um indivíduo se utiliza constantemente das mesmas formas de expressão em uma série de circunstâncias variáveis. Um sujeito que se dirige a um dos membros de sua família, em nenhuma hipótese usará as mesmas formas de outra situação em que se encontre perante um superior hierárquico.

Pelo acima exposto, observa-se haver no seio de um mesmo instrumento de comunicação quatro modalidades específicas de variação lingüística, respectivamente, histórica ou diacrônica, geográfica ou espacial, social e estilística.

A variação histórica

Condiciona-se o reconhecimento da variação histórica à observação de pelo menos dois estados sucessivos de uma língua. Sob essa consideração, é ocioso dizer que duas variantes diacrônicas, a substituta e a substituída, a rigor não coexistem num mesmo plano temporal, uma vez que uma deve cair em desuso para que a outra sobreviva. O conhecimento de variantes históricas e seu reconhecimento pelos membros de uma comunidade como pertencentes à língua que falam, decorre em maior escala da modalidade escrita, que faz preservar o passado de um instrumento de comunicação.

É preciso lembrar que o processo de mudança lingüística não é tão simples como pode parecer. Em sua origem, uma variante em processo de adoção pela norma da comunidade é apenas uma das inumeráveis variantes confinadas ao uso de um grupo restrito de falantes. Ao se propagar, é adotada por um grupo sócio-economicamente expressivo, que reconhece nela um fator de prestígio em contraste com a forma em desuso. Esta fica confinada ao uso das gerações mais velhas. Finalmente, elege-se como variante normal na fala da comunidade, com a eliminação completa da forma em substituição, que acaba por fixar-se em virtude da modalidade escrita.

As palavras, expressões ou construções que deixaram de ser usadas constituem o que se chama por arcaísmo. A correspondente arcaica do verbo pôr é *poer* (de *põer*<*poner*<*ponere*). O plural de *alferes,* que se faz pela adjunção de determinante, foi *alferezes* em época anterior. Note-se o uso da palavra *sabor* no enunciado "Tan gran sabor houv'eu de lhe dizer . . ." da língua portuguesa medieval. Embora não tenha sofrido diferença formal desde a época mencionada, sofreu mudança de conteúdo, trocando o sentido de "prazer" por "paladar", "gosto". A palavra *senhor* era uma espécie de substantivo "comum de dois gêneros", algo parecido a *estudante,* cujo gênero é marcado pelo determinante.

Como se observou acima, podem conviver no mesmo plano temporal variantes em desuso com suas respectivas substitutas, restritas, porém, a alguns poucos falantes de idade avançada que, paralelamente à evolução dos usos e costumes, mantêm formas de expressão adotadas como prestigiosas pela norma pedagógica ou social de décadas atrás. A pronúncia de lateral alveolar em final de sílaba, que de certo modo marca a fala regional do Rio Grande do Sul, mas é encontrável no uso cotidiano de falantes de outras regiões com idade acima de cinqüenta anos, pode ser citada como um exemplo disso. Afirma Serafim da Silva Neto, (1963, p. 184-185): "Contra essas tendências (a de interpor 'uma vogal suarabáctica para desfazer certos grupos consonânticos: *obiter (obter)* . . .') e mais a de vocalizar o *l* velar: *Brasiu, carnavau,* etc. levanta-se com muita força o ensino escolar, hoje difundido muito extensamente, quer na escola primária, quer na secundária".

Alguns exemplos curiosos de mudança lexical são encontráveis na crônica "Antigamente", de Carlos Drummond de Andrade: "Antigamente as moças chamavam-se *mademoiselles* e eram todas mimosas e muito prendadas. Não faziam anos: completavam primaveras, em geral, dezoito. Os janotas, mesmo não sendo rapagões, faziam-lhes pé-de-alferes, arrastando as

asas, mas ficavam longos meses debaixo do balaio. E, se levavam tábua, o remédio era tirar o cavalo da chuva e ir pregar noutra freguesia. As pessoas, quando corriam, antigamente, era para tirar o pai da força, e não caíam de cavalo magro. Algumas jogavam verde para colher maduro, e sabiam com quantos paus se faz uma canoa. O que não impedia que, nesses entrementes, esse ou aquele embarcasse em canoa furada (. . .)".

As variantes históricas de há muito em desuso, somente registradas atualmente em obras especializadas em descrever a história da língua ou em obras literárias do passado, são menos importantes que as contemporâneas, que marcam uma evolução mais recente dos costumes, permitindo entrever uma relação sócio-cultural entre dois níveis etários, no sentido de que o jovem adolescente, procurando a novidade, afasta-se sistematicamente dos padrões que regem as gerações anteriores, consideradas ultrapassadas.

A variação geográfica

Numa comunidade lingüística relativamente extensa, onde todos falam o mesmo idioma, notam-se variações que se traduzem na forma de pronunciar os sons, nas construções sintáticas e no uso característico do vocabulário, à medida que se afasta de determinado ponto de referência em direção de outro.

Caracteriza, de certo modo, a pronúncia de toda a região nordestina a abertura sistemática da vogal pretônica, como em "dezembro" e "colina", regularmente fechada em outras regiões.

A personificação mais comum de um gaúcho não pode omitir a realização de *e* e *o* átonos finais, pronunciados com grau médio de abertura e não em sua forma reduzida, como ocorre em São Paulo. É característico também do falar gaúcho a realização de lateral alveolar em final de sílaba, que em São Paulo é realizada como semivogal posterior.

Na região do Rio São Francisco, *dama,* vocábulo de certo modo em desuso na área paulista, nem por isso pejorativo, tem o significado de "meretriz". Ainda no sertão baiano, a oclusiva alveolar surda, após semivogal anterior, palataliza-se na africada [tš]; assim, *oito* diz-se *oitcho*.

Essa diversidade lingüística espacial decorre do fato de que nativos de determinada localidade (cidade, estado ou região), orientados para um centro cultural, política e economicamente polarizador, constituem uma comunidade lingüística, geograficamente limitada, no interior de uma mais extensa (a nação), através do desenvolvimento de um comportamento cultural próprio que os identifica e os distingue de outras comunidades.

É importante lembrar que o limite geográfico de uma comunidade lingüística não se confunde exatamente com os limites políticos de um estado ou região em que se divide um país. Tais limites são relativamente fixados, porque graduais, e se às vezes a rotulação de determinado falar regional corresponde aos limites políticos, será por necessidade prática.

A variação social

Não é provável que os membros de uma comunidade, nascidos e criados num âmbito geográfico restrito, usem todos as mesmas formas de expressão. O domínio completo da língua materna é um processo constante, inacabado, que se origina do intercâmbio com os outros membros da comunidade. A semelhança entre as formas de expressão depende, evidentemente, do grau de intercâmbio entre os falantes. A variação social é o resultado da tendência para maior semelhança entre os atos verbais dos membros de um mesmo setor sócio-cultural da comunidade.

A capacidade verbal de cada membro de uma comunidade lingüística homogênea do ponto de vista geográfico é, com efeito, adquirida num meio – o ambiente familiar e, num sentido mais geral, a classe social – caracterizado por normas de conduta e padrões culturais e, portanto, lingüísticos, diferentes aos de outros membros pertencentes a um setor distinto.

Caracteriza o desempenho verbal de indivíduos pertencentes a baixos estratos sócio-econômicos o uso de dois tipos de redução de ditongo: [eiN] (escrito *em*) para [I], em palavras como *homem, devem,* etc; e [auN] (escrito *am*) para [u], em verbos na terceira pessoa do plural, pretéritos perfeitos e mais-que-perfeito.

A execução de ∅ em lugar de [s], em verbos como *vamos* ou substantivos no plural como *meninos*, é também de natureza social, sendo a ausência de fricativa alveolar mais comumente observável entre indivíduos de baixo nível social.

O nível sócio-econômico do indivíduo não é o único fator determinante da formação de setores distintos de atividade verbal no interior de uma comunidade geograficamente homogênea. São também fatores de diversidade lingüística social o grau de educação, a idade e o sexo do indivíduo, isolados ou conjugados entre si.

O emprego da forma afetiva *gracinha* restringe-se, em boa parte, à faixa de falantes do sexo feminino. Também os caracteriza o emprego de entonação própria, como, por exemplo, a duração da primeira vogal pretônica no adjetivo *maravilhoso.* Consciente disso, Paulo Mendes Campos nos proporciona um exemplo do que chama estilo feminino em sua crônica "Os Diferentes Estilos": "Imagine você, Tutsi, que ontem eu fui ao Sacha's, legalíssimo, e dormi tarde. Com o Tony. Pois logo hoje, minha filha, que eu estava exausta e tinha hora marcada no cabeleireiro, e estava também querendo dar uma passada no costureiro, acho mesmo que eu vou fazer aquêle plissadinho, como o da Tereza, o Roberto resolveu me telefonar quando eu estava no melhor do sono. Mas o que era mesmo que eu queria te contar? Ah, menina, quando eu olhei pela janela, vi uma coisa horrível, um homem morto lá na beira da lagoa. Estou tão nervosa! Logo eu, que tenho horror a gente morta! (. . .)" O uso especial da palavra *menina,* certas exclamações que bem caberiam à entonação característica de um falante do sexo feminino foram bem marcados no texto pelo autor.

Na diferença etária, a gíria, um dos tipos de linguagem especial, exerce um papel preponderante, por marcar caracteristicamente a linguagem do adolescente, que julga desse modo afastar-se do padrão adulto, ultrapassado em sua concepção. Em outra crônica, Paulo Mendes Campos dá-nos exemplos contrastantes do estilo de dois falantes opostos pela distância etária:

"Outro dia um senhor de cinqüenta anos me falava da mãe dele mais ou menos assim:

– Se há alguém que eu adoro neste mundo é minha mãezinha. Ela vai fazer 73 anos no dia 19 de maio. Está forte, graças a Deus, e muito lúcida. Há 41 anos que está viúva, papai, coitado, faleceu muito moço, com uma espinha de peixe atravessada no esôfago: pois não há dia em que mãezinha não se lembre dele com um amor tão bonito, com um respeito. . . (. . .)

Deu-se que no mesmo dia encontrei um rapaz de dezoito anos, que me contou mais ou menos assim:

– Velha bacaninha é a minha. Quando ela está meio adernada, mais pra lá do que pra cá, ela ainda me dá uma broncazinha. Bronca de mãe não pega, meu chapa. Eu manjo ela todinha: lá em casa só tem bronca quando ela encheu a cara demais. A velha toma pra valer! Ou, então, foi um troço em que eu não meto a cara. Que que eu tenho com a vida da velha? Pensa que eu me manco. Quando ela tá na bronca, o titio aqui já sabe: taco-lhe três equanil. É batata. Daí a pouco ela fica macia e vai soltando o tutu (. . .)." ("Dois bons filhos").

É evidente que a diferença etária não determina sozinha as diferenças correlativas no plano lingüístico. É possível deduzir que, além desse fator, os falantes contrastados pertencem a meios sócio-culturais distintos.

A divisão de uma comunidade em setores sociais não significa que o intercâmbio lingüístico entre indivíduos de distintos estratos seja prejudicado por dificuldades de compreensão, como poderia ocorrer entre duas comunidades regionais. Significa, antes, que o uso de certas variantes é indício, numa sociedade estratificada, do nível sócio-econômico e cultural de seus membros e, portanto, indício de alto ou baixo grau de prestígio.

Não significa também que um indivíduo provindo de classes sócio-economicamente desfavorecidas não possa atingir o padrão de prestígio, geralmente confinado às classes cultural e socialmente favorecidas. Embora o padrão cultural, o grau de educação e as atividades profissionais rejam a formação desses núcleos sociais distintos, o intercâmbio cultural e profissional entre indivíduos de meio diverso possibilita a adaptação das formas de expressão de um para outro grupo.

A variação estilística

A diversidade lingüística não histórica não se restringe às relações interindividuais, seja no âmbito geográfico, seja no âmbito social. Efetivamente, não há falante de região e meio social homogêneos que fale sempre da mesma forma. Numa comunidade lingüística em que todos os membros tenham nascido e vivido no mesmo local e no mesmo âmbito social, a simples observação de sua atividade verbal revela diferenças notáveis de estilo, de acordo com a variação das circunstâncias em que o ato se produz.

Um médico que se encontre entre amigos, no clube, conversando banalidades como os últimos resultados do campeonato brasileiro, não usará as mesmas formas de expressão quando em situação de conferencista, versando sobre os efeitos do fumo nas vias respiratórias a uma platéia seleta.

Soaria estranha uma sentença do tipo "venho respeitosamente solicitar-lhe que vá pro diabo", uma vez que há evidente mistura de estilos. O uso inadequado de estilo linguüístico é semelhante à visão de um indivíduo na praia, trajando *smoking*. Ou, ao contrário, um indivíduo trajando calças *blue-jeans* desbotadas, camisa esporte, numa recepção em palácio a uma alta autoridade. O uso de formas tais como *cê* e *tá* não seria adequado numa conferência ou numa circunstância em que se dirige a um superior; são, todavia, perfeitamente plausíveis numa conversa familiar, entre amigos, ou outra situação qualquer. Por outro lado, seria inadequado, da mesma forma, o uso à mesa, de pai para filho, de uma expressão do tipo "prezado filho, faça-me o obséquio de passar o bule de chá."

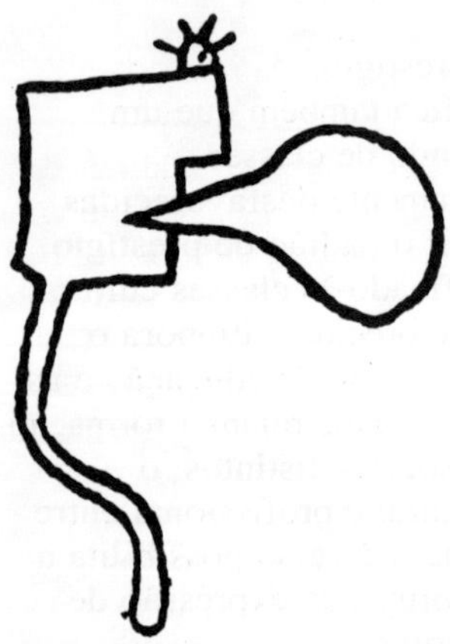

As variantes observadas num mesmo indivíduo, conforme se diversificam as circunstâncias em que se processa a atividade verbal é o resultado da adequação de suas formas de expressão às finalidades específicas do ato condicionadas pela situação respectiva. Tal adequação decorre de uma seleção dentre o conjunto de formas que constitui o saber lingüístico individual, de um modo mais ou menos consciente. Isso significa que o grau e reflexão sobre as formas de expressão varia de acordo com o grau de formalidade da situação em que o ato verbal é produzido.

Sendo a variação estilística o resultado da adaptação da forma lingüística específica do ato verbal, relativamente às circunstâncias em que se produz, é evidente que tantas são as variedades quantas são as situações momentâneas em que se realiza a atividade verbal. Nesse sentido, cada ato lingüístico apresenta um estilo específico.

Por mais que se consiga reunir as propriedades formais dos conjuntos de atos verbais, de modo a obter uma tipologia de estilos, não se pode chegar a um resultado definitivo, visto que há uma amplitude variável deles e é insensível a transição de um para outro estilo.

Como, todavia, o estilo varia de acordo com o grau de reflexão do sujeito falante às formas lingüísticas, podem-se estabelecer os dois limites extremos na escala, abstraindo-se os graus intermediários: obtém-se um estilo em que há grau mínimo de reflexão às formas de expressão empregadas e outro em que há um grau máximo de reflexão. No primeiro, incluem-se os atos verbais imediatos, decorrentes do intercâmbio lingüístico cotidiano, que se convenciona por *estilo informal;* no segundo, incluem-se os atos verbais em que as informações contidas não são de expressão diária, mas resultado de grande elaboração intelectual e o conteúdo é rico e complexo – o *estilo formal.*

A diferença essencial entre um e outro extremo reside no grau maior ou menor de adesão a um conjunto de convenções normativas, aceito como prestigioso pela comunidade lingüística. Isso significa que no estilo informal, orientado para a satisfação das necessidades comunicativas cotidianas, na sua mais simples expressão, há um mínimo de consciência na seleção das formas lingüísticas empregadas.

No estilo formal, por outro lado, em que o conteúdo dos atos verbais não se dirige à satisfação das necessidades mais imediatas do falante, mas à satisfação das suas necessidades intelectuais, a atividade lingüística se realiza com uma seleção consciente das formas de expressão empregadas, resultando numa linguagem em que é máxima a adesão às regras mais elaboradas do sistema lingüístico, aceitas como prestigiosas pela comunidade. As noções acima discutidas, de estilo formal e informal, têm sido não raro confundidas com as noções de língua escrita e língua falada.

Não há dúvida de que a modalidade escrita como forma de expressão verbal pressupõe sempre um certo grau de reflexão por parte do indivíduo, a quem se permite, pelas próprias características visuais da fixação gráfica, observar mais demoradamente a forma e corrigi-la, fazer substituições de uma por outra e acrescentar informações, realizando mais perfeitamente o ideal de correção adotado pela comunidade. Ademais, a falta de contexto extralingüístico, um dos traços que distinguem essa modalidade da falada, exige referência mais explícita e mais clara e precisa para suprir o que numa interação verbal falante-ouvinte se torna geralmente implícito.

Nem por isso, entretanto, as noções se confundem ou se correspondem estritamente, visto que se pode observar manifestações da variação estilística tanto numa como noutra modalidade.

Um bilhete escrito às pressas com os dizeres: "Estou em casa. Te espero até às 8,00 horas" reflete claramente, na modalidade escrita, o estilo informal, com uma colocação pronominal proclítica não suscetível de se manifestar numa expressão mais formal, isto é, o mesmo indivíduo que se propusesse escrever um tratado com conteúdo intelectual altamente elaborado evitaria essa forma sintática.

A correspondência estrita entre as modalidades de expressão e os estilos não permitiria também a possibilidade de haver uma forma altamente cultivada na atividade falada. Suponha um engenheiro agrônomo defendendo, perante uma banca examinadora, constituída por doutores em sua área, uma tese sobre os

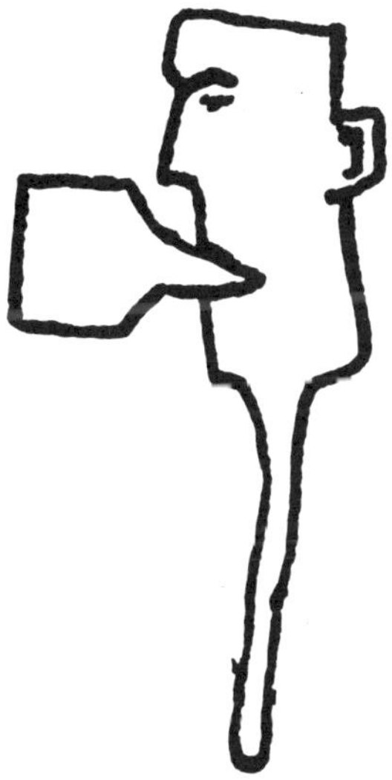

benefícios da plantação de trigo no cerrado goiano. A situação específica do ato de exposição e a necessidade de argumentar para que suas idéias se imponham imprimem, na sua forma de expressão, um estilo refletido e, portanto, com máxima adesão às regras gramaticais do sistema lingüístico. Envolvido, todavia, na explicação dos mesmos benefícios a um grupo de agricultores iletrados, numa seção regional do Ministério da Agricultura, sua forma de expressão tende a adaptar-se a tais circunstâncias e também à finalidade do ato, que é tornar compreensíveis os efeitos que a técnica produziria.

Embora o conteúdo seja o mesmo, em essência, nas duas situações, é evidente que as formas lingüísticas empregadas são distintas, porque adequadas aos dois tipos de receptores e aos dois tipos de finalidades.

De resto, não é improvável que haja gradação entre o estilo formal falado e o estilo formal escrito. O grau de consciência às formas cultas, que a norma convencional imprime numa comunidade lingüística, é maior na modalidade escrita, em decorrência das possibilidades já mencionadas de revisão do texto e sua reformulação. Isso nem sempre é possível a um indivíduo numa atividade oral, ainda que em situação de mais alto grau de formalidade, pelas próprias limitações que lhe impõe a memória.

A afirmação de que cada ato verbal apresenta estilo próprio não significa que há um único estilo sempre ao longo de uma única atividade lingüística. Um indivíduo que tenha iniciado uma conversa despreocupada sobre mudança de tempo, os últimos resultados do futebol, política etc., pode mudar para a discussão de um tema filosófico e moral, realizando com isso mudança na feição estilística da forma de expressão, passando de um estilo menos para outro mais refletido.

Relação entre os diversos tipos de variação

Ainda que, por questões metodológicas, se tenha dado uma visão isolada das características essenciais de cada tipo de variação lingüística, é falso supor que coexistem de forma independente numa língua qualquer.

Com efeito, para que se realize efetivamente um processo de mudança lingüística, é necessário que numa etapa básica em que ambas – a substituta e a substituída – coexistem, haja o reconhecimento por parte expressiva dos membros da comunidade do valor de prestígio de uma em detrimento de outra variante. Isso significa que uma variante comumente usada nos estilos menos refletidos passa a ser aceita por uma norma interindividual, mesmo nas situações em que predomina um grau maior de formalidade. Por outro lado, uma variante característica de determinado estrato social propaga-se aos demais, tornando arcaica a forma contrastante.

O uso impessoal do verbo *ter* em substituição a *haver*, severamente proscrito pelas gramáticas normativas, tem-se generalizado por todas as camadas sociais, inclusive nas mais favorecidas cultural e sócio-economicamente. A conseqüência disso é que parcela das gramáticas tradicionais já descreve o uso, de forma acanhada, às vezes, o que é indício de aceitação pela norma coletiva.

A pronúncia de vibrante em posição final de formas verbais como *falar, souber, quer* etc., está em processo de desaparecimento gradual, uma vez que se torna pouco freqüente mesmo nos estilos formais de uma parcela dos membros da comunidade social favorecidos.

Em contraposição, variantes adotadas pela norma interindividual de uma comunidade geograficamente demarcada, deslocadas para outro centro de irradiação cultural, acabam discriminadas como índices de baixa categoria social. Isso é particularmente vis´vel nos grandes centros urbanos, que recebem constantes levas migratórias das regiões mais diversas. Tende-se, aí, a estigmatizar a maneira de expressão de tais correntes, numa tendência justificável a partir de uma perspectiva puramente sociológica.

Assim, pronúncias tipicamente regionais como a abertura da vogal pretônica, em si mesmas nem melhor nem pior que a correspondente fechada, acabam por revestir-se de alto teor discriminatório, porque restritas à expressão de um grupo de indivíduos que ocupam baixa posição na escala sócio-econômica.

Outros exemplos de variação como a substituição de lateral palatal por semivogal anterior, resultando em pronúncias como *paia* em vez de *palha, r* retroflexo em vez de semivogal posterior, resultando numa pronúncia como *animar* em vez de *animau* (grafada *animal*), são intensamente estigmatizadas, no meio urbano, como índices de baixo valor de prestígio, embora comumente aceitas pela norma interindividual que rege o comportamento verbal na zona rural.

Os exemplos acima mencionados são típicos de variação social num meio urbano complexo como o de São Paulo. É o resultado do êxodo rural, um fenômeno comum em nossos tempos, que transfere uma forma de expressão própria de uma região, em que é normalmente aceita pela comunidade, para outra, de outro meio ou região, cujos membros inevitavelmente a colocam em contraste com as formas de expressão próprias.

A zona rural, em oposição ao meio urbano, caracteriza-se por um modo de vida simples e por costumes relativamente estáveis, apresentando um mínimo de mudança social, em razão de seu isolamento em relação aos centros urbanos. Esse isolamento, que os meios de comunicação de massa, especialmente a televisão, procuram diminuir, provoca um certo grau de estabilidade e conservacionismo lingüístico, considerando que é o idioma o principal instrumento de intercâmbio social. Não é, portanto, estranhável a manifestação, no meio rural, de variantes pertencentes a uma fase passada na evolução de uma língua, como o atesta o uso generalizado pelo sertão baiano da forma *lũa* e, em menor escala, *luma,* para designar o que se manifesta por *lua* na maior parte do país.

Esse é um tipo de arcaísmo mantido desde o século XVI, quando entrou no Brasil, trazido por colonizadores portugueses e mantido por uma comunidade de falantes de uma região com costumes nitidamente conservadores. Pode-se dizer que, em oposição à palavra *lua,* as duas formas arcaicas são variantes históricas. Numa perspectiva sincrônica-espacial, todavia, fazem parte da variação geográfica que caracteriza o falar do sertão baiano.

A relação entre a variação social e a estilística tem indícios também evidentes na forma de expressão de toda a comunidade de falantes brasileiros. Ausência de sibilante em final de palavras como marca de plural dos substantivos, em grupos nominais do tipo os *meninos,* pronunciada os *menino* como *estamos* pronunciada *estamo,* pode ser caracterizada como um exemplo típico de variação social, limitada ao uso dos membros de grupos situados abaixo do ponto médio na escala sócio-econômica.

Não seria estranhável, contudo, que um indivíduo de nível sócio-cultural mediano manifestasse aumento considerável de sibilantes em final de palavra, à proporção que sua atividade verbal cambiasse de um estilo familiar para um outro, mais formal. Numa comunidade onde haja a possibilidade de mobilidade social, um membro de classe média baixa pode ter perspectivas de ascensão nos estratos mais elevados, o que o leva à conscientização do valor menor de prestígio da forma de expressão própria de seu estrato e à mudança conseqüente de estilo rumo a uma modalidade, não só adequada à formalidade da situação, mas também característica de estratos sócio-econômicos superiores.

Como bem se nota, longe de tipos estanques, há constante interpenetração entre as modalidades de variação lingüística. Não são outros os fatores que determinam a mudança lingüística, senão os sociais. Uma variação tipicamente geográfica, deslocada de seu centro de irradiação, pode ser enquadrada na modalidade social. Da mesma forma, uma variante tipicamente histórica pode ter-se mantido numa região conservadora, em virtude de insulamento, marcando-a como característica regional de seu modo de falar. Uma variação social, grosso modo, característica da forma de expressão, em quase todos os graus de amplitude estilística, dos membros de estratos sócio-econômica e culturalmente favorecidos, pode marcar a variação estilística de um membro de classes inferiores, com perspectivas de mobilidade social ascendente.

Variação lingüística e norma pedagógica

A função precípua da escola pública é inculcar nas crianças os valores compartilhados pela sociedade de que serão membros participantes na vida adulta. Incluem-se nesses valores as atitudes sobre o ensino da língua vernácula e, por extensão, a variação lingüística, que, na verdade, acaba reduzindo-se ao ensino de um padrão normativo de correção.

Desde já se nos antepõem duas alternativas cruciais, relacionadas diretamente com a eficiência do ensino da língua materna: ou o sistema de valores promovido pela escola identifica-se com aquele compartilhado pelos membros do setor social de onde vem a criança, ou se dá exatamente o oposto.

Caso seja verdadeira a primeira alternativa, dir-se-á que o sistema escolar cumpre com êxito sua tarefa, no sentido de ensinar formas corretas de expressão.

Caso não haja identidade entre o sistema de valores promovido pela escola e o que traz a criança de seu meio sócio-cultural, raramente o ensino desempenhará sua função com eficiência no que concerne à língua materna.

É inevitável que resulte dessa relação um conflito entre o sistema de regras normativas imposto pela escola e o padrão lingüístico aceito na comunidade de que a criança é membro. Pode-se afirmar sem receio que o prejuízo decorrente desse conflito atinge os setores menos privilegiados da sociedade.

A razão disso é que, num meio complexo, sócio-economicamente estratificado, é comum a imposição da norma lingüística do grupo dominante, dos setores mais favorecidos da sociedade, como a correta ou de prestígio. O cultivo de uma gramática essencialmente normativa, cujo objetivo é distinguir o correto do incorreto, segundo preceitos estéticos encontráveis na literatura de séculos anteriores, coincide com o padrão geralmente aceito pelos setores privilegiados da sociedade, cujo acesso aos instrumentos culturais é maior. Portanto, uma gramática do tipo normativo decorre de uma concepção não só conservadora de língua, mas, sobretudo, elitista.

A questão que se coloca naturalmente, agora, é a das relações entre a variação lingüística e esse tipo de ensino caracteristicamente normativo exercido pela escola: há uma rejeição das variantes estigmatizadas, consideradas como concorrentes à eleita como correta e de prestígio pelo sistema de valores sociais e estéticos adotados.

O conflito se particulariza, de uma forma muito simples. Compõem o corpo discente do sistema oficial de ensino crianças advindas, em sua maioria, dos setores sociais menos privilegiados da sociedade. Não é raro que vejam proscritas como incorretas ou inadequadas, em qualquer situação, variantes que usam de forma útil e precisa no intercâmbio lingüístico cotidiano, dentro de sua comunidade social.

Não menos simples é o que assim se pode generalizar: a escola estaria criando uma forma inequívoca de discriminação social, tendo como resultado direto a ineficiência do tipo de ensino que emprega e para o qual o Estado investe somas se não ideais, pelo menos consideráveis.

Não é improvável que o germe da propalada evasão do 1º grau do ensino público, cujos dados estatísticos são estarrecedores, tenha como uma de suas origens esse tipo de discriminação social motivado por uma visão elitista do ensino da língua materna. Trocando em miúdos: a escola estaria mantendo a classe baixa no seu lugar, sem incentivar-lhe a mobilidade social ascendente, de que o domínio da variação estilística e social seria, no mínimo, um dos fatores.

Recente investigação realizada em duas escolas de 1º grau da cidade de São Paulo mostrou que o ensino é imprescindível para que as classes menos favorecidas alcancem um nível compatível de consciência dos valores sociais da variação lingüística. (Camacho, 1978).

Investigou-se a percepção da diferença entre duas variantes sociais, previamente selecionadas, e o conhecimento de seu valor social, através de um confronto entre dois grupos sócio-economicamente opostos, representativos dos dois extremos da escala.

Os dados demonstram que há uma correlação estável entre os resultados nos testes e os fatores grau de educação e idade. Considerando-se somente os fatores grau de educação e idade, constatou-se queda gradual no número de erros na detecção da diferença entre as variantes ou na indicação da que possui o maior valor social.

Quando relacionados ao fator sócio-econômico, esses dados evidenciam o seguinte: a diferença mais importante entre os grupos consiste em que o socialmente desfavorecido apresenta desníveis relevantes entre uma série e outra (5ª e 8ª) e entre uma faixa etária e outra (10 e 18 anos). Os alunos do grupo oposto apresentam diferenças mínimas entre cada subgrupo por idade e série.

Na relação entre resultados nos testes, de um lado, e os fatores idade e série agrupados, de outro, os dados demonstraram que os alunos situados na faixa etária inferior em cada série são os que apresentam o melhor desempenho. Isso implica que os atuais agrupamentos por série não espelham nitidamente a realidade, deixando muito a desejar no sentido da eficiência do ensino. Além disso, deixa entrever a importância do fator etário em detrimento do educacional, na aquisição de padrões lingüísticos de prestígio.

Tendo em vista o fato acima exposto, ou seja, a queda gradual no número de erros conforme avança o nível educacional dos alunos investigados, é fácil incorrer em erro ao acreditar que o sistema escolar cumpre eficientemente o seu papel. Pois, pelo contrário, a freqüência de erros por indivíduo indica que há, numa mesma classe de alunos, diferenças tão marcantes que deixam entrever uma evidente heterogeneidade antes que a homogeneidade esperada.

É preciso notar também que, dentre as variantes investigadas, todas marcadas pelo sistema de valores comungados pela escola como estigmatizadas com baixo valor social, um grupo delas não é eliminado gradualmente pelo desenvolvimento do processo de ensino, mas permanece cristalizado. Isso significa que a escola não é capaz de eliminar variantes que seu sistema de valores considera incorretas e inadequadas.

Os fatos discutidos levam à conclusão de que a deficiência básica do ensino deve-se principalmente ao cultivo de uma gramática normativa em essência, deixando de lado o cultivo de habilidades importantes como a percepção da diferença entre duas variantes e o conhecimento do valor social de uma sobre a outra, habilidades que dariam ao adolescente a capacidade de selecionar o grau relativo de formalidade da situação.

Por outro lado, o grau mínimo de influência verificado no desempenho dos informantes socialmente desprivilegiados pode ser atribuído ao contato com um certo padrão culto dos professores, visto ser a escola uma das agências de socialização em potencial. É precisamente por isso que a escola exerce papel preponderante, imprescindível mesmo, no sentido de oferecer às classes desfavorecidas um instrumento lingüístico com todas as alternativas, virtualmente adequado para um cem número de situações que se lhes oferecem.

Detenhamo-nos nesse papel socializador da escola. Considere-se socialização o processo pelo qual o ser biológico se transforma num ser social, vale dizer, processo pelo qual o indivíduo adquire uma identidade cultural específica. (Bernstein, 1971; Marcellesi, 1975).

As outras agências de socialização são a família, o grupo do indivíduo e seus amigos imediatos *(peer group)* e o trabalho. É óbvio que, embora possam agir simultaneamente, a família e o grupo de amigos do indivíduo exercem influência numa fase anterior à escola. Essa fase corresponde aos dois estágios iniciais do modelo de aquisição de uma língua-padrão sugerido por Labov (1974); no primeiro, a criança adquire uma gramática e um léxico básicos suficientes para que possa comunicar suas necessidades fundamentais; no segundo, um dialeto local, condizente com o de seu grupo de relações mais próximas. É, pois, na influência dessas duas agências que se verificam as diferenças fundamentais entre os dois grupos sócio-economicamente opostos.

Se, para os informantes investigados de classe favorecida, a influência da escola é quase nula, é porque esta não se faz necessária, uma vez que as agências de socialização menos abrangentes do ponto de vista das relações sociais – família e o grupo de indivíduos e seus amigos – exercem ação efetiva nos estágios básicos da aquisição da língua vernácula, consolidando os valores sociais de prestígio, próprios de seu meio cultural.

Se, pelo contrário, o sistema escolar assume papel preponderante no desempenho lingüístico do grupo socialmente desprivilegiado, é porque as agências de socialização anteriores à escola, isto é, seu próprio meio sócio-cultural, são deficientes no sentido da adoção dos padrões lingüísticos impostos como prestigiosos pelas classes dominantes.

Cabe, portanto, ao sistema escolar a tarefa essencial de oferecer à criança, no tocante ao ensino da língua materna, os instrumentos necessários para que ela possa adequar seu ato verbal às necessidades reais que lhe impõe a situação: basicamente, o ensino de padrões lingüísticos de prestígio para as situações mais formais, ao lado das formas coloquiais adequadas para as situações correlatas.

Para tanto, porém, é de importância vital que a escola evite incorrer no erro pré-concebido de que há uma relação de implicação entre capacidade verbal e classe sócio-econômica, uma vez que certos setores comungam com a idéia de que o padrão utilizado pelas classes desfavorecidas é ilógico, além de incorreto.

E, sobretudo, duas atitudes fundamentais devem ser tomadas com respeito à variação lingüística: a primeira é que o professor elimine de seu vocabulário didático a dicotomia correto/incorreto, substituindo-a por formal/informal; a segunda é de tolerância e respeito ao padrão lingüístico de seus alunos, de modo que a atitude oposta, discriminatória, não lhe possa causar prejuízos psicológicos.

Enfim, além de proporcionar ao aluno o número maior possível de formas alternativas de expressão verbal, o professor poderá torná-lo capaz de distinguir uma da outra, colocando-as em situações diversas de comunicação, para que o indivíduo discente possa aprender a selecionar sem a imposição do certo-e-errado, pondo-se de acordo, unicamente, com o grau de formalidade relativa da situação.

A aquisição, pelo adolescente, de uma amplitude de estilos, coerentes em si mesmos, adequados a todo e qualquer contexto extralingüístico é um dos fatores de mobilidade social ascendente. Tendo esse papel como uma das finalidades do ensino, a escola terá cumprido eficientemente sua tarefa, como agência de socialização imprescindível para os setores desfavorecidos da sociedade.

Questões para REFLEXÃO

Como você vê, a língua não é um bloco compacto, homogêneo. Pelo contrário, ela varia hitórica, geográfica, social e estilisticamente. Quando os gramáticos afirmam que a língua portuguesa é aquilo que descrevem estão distorcendo a realidade. A questão do "certo" e do "errado" foi criada para nos dominar, para meter medo em nós. Para impingir em nós a idéia de que somos burros. Os inteligentes são eles, que ditam as normas. Olha aí o poder determinando a inteligência! E quem sai perdendo nesta história: o Silva aqui ou o Silva aí?

A questão anterior mostra a dominação pela linguagem. Mas há também a dominação (ou "domínio") da linguagem. Isso devemos fazer, para através dela nos impor socialmente.

Para dominar a linguagem é preciso conhecer todas as variedades.

No sentido deste curso, é válido interpretar uma antiga afirmação do Chacrinha, de que "quem não se comunica se trumbica", como significando que podemos escrever como quisermos, sem respeitar "normas".

Considere duas possibilidades para o caso de uma professora de uma escola rural pobre solicitar uma redação: a) deve ser em português culto (das gramáticas), sem transigir com os "desvios", "erros"; b) aceitar que escrevam como falam e, inclusive, deixar que terminem o curso escrevendo apenas como falam. Que conseqüências políticas tem cada uma das alternativas?

EXERCÍCIO

Redija um texto dissertativo sobre um tema abstrato como, por exemplo, "Constituinte", "Presidencialismo x Parlamentarismo", "A liberdade", etc. Guarde-os para uso posterior.

LEITURAS RECOMENDADAS

- COUTO, Hildo Honório do. Os níveis sociolingüísticos. In: **Semina** 1(3):15-23, 1979 (Univ. Est. de Londrina).
- ——— **O que é português brasileiro.** S. Paulo, Brasiliense, 1986.
- LUFT, Celso P. **Língua e liberdade.** Porto Alegre, L&PM, 1985. (Salientamos a crônica de Luís Fernando Veríssimo "O Gigolô das Palavras", reproduzida nas pp. 14 a 16).
- MARCUSCHI, Luís. **Linguagem e classes sociais.** Porto Alegre, Movimento, 1975.

Lembrete: Para escrever bem, é necessário ler muito e escrever muito, criticamente.

ABCDEFG
JKLMNOPQ
RSTUV
GIRAFA

4

Variação Lingüística e Ensino da Língua Materna

ATALIBA T. de CASTILHO

Anteriormente, Roberto G. Camacho tratou do fenômeno da variação lingüística (histórica, geográfica, social e estilística), concluindo com algumas considerações sobre o ensino em face da norma pedagógica. Em relação ao tema "Os sons", gostaríamos de retomar e ampliar aqui esse assunto, encarando os seguintes aspectos: (1) o conceito de norma; (2) preconceitos sobre a norma; (3) norma e ideologia; (4) a constituição da norma culta do português brasileiro; (5) o ensino da variação lingüística e da norma culta.

Conceito de norma

1. Como já dissemos em outra oportunidade, há um conceito amplo e um conceito estrito de norma. No primeiro caso, ela é entendida como um fator de coesão social. No segundo, corresponde concretamente aos usos e aspirações da classe social de prestígio.

1.1 – Num sentido amplo, a norma corresponde à necessidade que o grupo social experimenta de defender seu veículo de comunicação das alterações que poderiam advir no momento de seu aprendizado, quando a criança "simplifica" o sistema lingüístico por meio de analogias do tipo "eu sabo", "eu fazi" etc. Nessas situações, a comunidade amplamente considerada pressiona o falante, defendendo a linguagem adulta e assegurando intuitivamente a própria coesão (isto é, sua identidade), ameaçada pela fuga ao padrão aceito (Rosenblatt, 1977, p. 117).

1.2 – Num sentido restrito, a norma corresponde aos usos e atitudes de determinado segmento da sociedade, precisamente aquele que desfruta de prestígio dentro da nação, em virtude de razões políticas, econômicas e culturais. A norma culta é transmitida pela escola (donde ser também chamada "norma pedagógica") e vem descrita em dicionários e gramáticas (donde ser também chamada "norma gramatical ou norma prescritiva"). Convém distinguir pelo menos dois ingredientes que compõem a norma: (1) A norma é um uso lingüístico concreto, e corresponde ao dialeto social praticado pela classe de prestígio. Neste sentido, ela é também chamada "norma objetiva", "norma explícita", "padrão real". (2) A norma representa a atitude que o falante assume em face da norma objetiva. Essa atitude corresponde ao que a classe socialmente prestigiada "espera que as pessoas ou façam ou digam em determinadas situações" (Rodrigues, 1968, p. 43). Tem-se observado que as pessoas de cultura são mais atentas a essa expectativa, e assim podem graduar melhor sua execução lingüística, adequando-a a cada situação. Nesse sentido, ela é também chamada "norma subjetiva", "norma implícita", "padrão ideal".

Por trás da atitude lingüística, vale dizer, da reflexão que o falante desenvolve a propósito de sua própria língua, há uma série de motivações comumente reunidas sob a designação algo cômoda de "ideal de perfeição lingüística", cujo conteúdo ideológico examinamos além.

Preconceitos sobre a norma

2. Uma série de desinteligências tem assinalado em nossos meios a compreensão do que seja a norma prescritiva. Ainda recentemente pudemos constatá-lo, mediante questionário submetido a professores do primeiro grau. Vamos aqui enumerar esses preconceitos:

2.1 – "A norma constitui o português correto; tudo o que foge à norma representa um erro."

Na verdade, não há português certo ou português errado, e sim modalidades de prestígio e modalidades desprestigiadas, cada qual correspondendo ao meio em que se acha o falante. De forma que, assim como gostaríamos que nossos alunos oriundos de classes desprestigiadas praticassem o português culto quando fora de seu ambiente familiar, para sua própria promoção social, analogamente seria desejável que eles não abandonassem sua modalidade própria quando inseridos nesse ambiente. O apagamento de uma modalidade em favor de outra é despersonalizador (pois leva o aluno a entrar em choque com seu meio) e trai o preconceito de que estamos tratando, segundo o qual só há um português "correto", que é o da escola.

Por outro lado, o prestígio social é muito instável, pois o que é prestigioso numa época pode tornar-se ultrapassado e de mau gosto em outra. Isso é particularmente sensível nos momentos de grande mobilidade social, donde a necessidade de revisar periodicamente a norma descritiva. Um exemplo disso é o abandono da execução [tš] e [dž] em *chave* e *gente*, quando a Corte portuguesa se deslocou para o sul, instalando-se em Lisboa. A articulação constritiva-fricativa hoje é um regionalismo.

2.2 – "O bom português é aquele praticado em determinada região. Se compararmos Portugal ao Brasil, o português europeu é mais correto – basta ver como se colocam bem os pronomes por lá, e ainda se faz a concordância e se conjugam os verbos com perfeição. Agora, se ficarmos no Brasil, o melhor português é o do Rio de Janeiro. Ou o de São Luís do Maranhão."

Esse preconceito desloca o fulcro da questão de seu verdadeiro lugar, que é o social, para o geográfico. Como ficou dito anteriormente, a norma corresponde à linguagem praticada pela classe social de prestígio, esteja ela onde estiver. Num país vasto como o nosso, cujo desenvolvimento tem levado à constituição de mais de um centro cultural de prestígio, obviamente temos de contar com mais de uma norma. Cada norma será válida para a região a que corresponde – se bem que essa variedade se circunscreva à língua falada, como insiste, com razão, (A. Rosenblatt, 1967, p. 24), afetando mais claramente a fonética e o léxico.

2.3 – "O bom português é aquele exemplificado nas chamadas épocas de ouro da literatura. Os séculos clássicos, portanto. Depois dos clássicos veio a decadência da língua portuguesa."

Aqui há pelo menos três confusões: (1) O português culto é o português escrito – quando o certo é que há um português culto falado e um português culto escrito. A principal diferença entre eles está em que a norma escrita é mais conservadora que a norma falada, dada a especificidade de seu veículo. (2) O português culto é o de épocas passadas – mas, como vimos, a norma decorre da linguagem praticada pelo grupo social atualmente prestigiado. Fica patente que a norma radica no contemporâneo. (3) As línguas têm períodos de decadência – ora, como a língua é um fenômeno social, sua existência está presa à dos grupos que a instituíram, e somente estes podem entrar em decadência.

2.4 – "Dentre a multiplicidade de formas de expressão, só uma é correta, e todas as demais são erradas."

Esse engano implica conceber a norma como um conjunto de regras rígidas, quando o certo é que elas flutuam dentro de parâmetros tais como "português escrito x português falado", "português coloquial x português formal", "português da região A x português da região B". Por outras palavras, a variação lingüística afeta também a norma, e, assim, para cada situação específica do intercâmbio verbal há uma modalidade de linguagem consagrada pelas pessoas escolarizadas. Como exemplo, lembre-se a questão do pronome pessoal oblíquo abrindo oração, aceitável na língua falada e mesmo escrita informais, e inaceitável na língua escrita formal. O mesmo se poderia dizer do emprego de *ter* por *existir* nas construções impessoais, um uso cada vez mais difundido no meio universitário.

Norma e ideologia

3. Os preconceitos anteriormente referidos devem-se em grande parte ao fato de que a Gramática Normativa é uma disciplina que antecedeu largamente a Lingüística. Ela se fundamentava em critérios inconsistentes, pois misturava argumentos propriamente lingüísticos a argumentos de natureza estética, política e historicista. É singular a resistência dessas idéias tradicionalistas, as quais atravessam as idades como verdades sólidas, evidentes por si sós.

Se procedermos a um levantamento do que se entende por norma em nossas gramáticas mais difundidas, veremos que há determinadas linhas de definição – muitas das quais se recobrem – que manipulam critérios extralingüísticos, como os que se seguem:

3.1. – Concepção estética: é aquela que joga com palavras tais como "elegância", "beleza", "finura", para explicitar o que entende por norma prescritiva.

3.2 – Concepção elitista ou aristocrática: é a que contrasta o falar de prestígio com os falares populares mediante pares opositivos tais como "classe elevada x povo" etc. Na base dessa concepção há um forte sentimento de estratificação social e, sobretudo, de "diferença" social – um dado acaso mais vivaz no contexto europeu do que no americano, mas que viceja por estes lados na mente de alguns gramáticos.

3.3 – Concepção purista: o pressuposto desta linha está em que tudo o que é passado é melhor; as palavras-chave são: "vernaculidade", "tradição", "os antigos", "os clássicos".

3.4 – Concepção naturalista: entende a língua como um ser vivo, dotado de sentimentos e capaz de ameaçar a integridade da nação, caso receba maus tratos; palavras-chave: a correção lingüística assegura seu "desenvolvimento", enquanto que a incorreção acarreta sua "corrupção"; determinados usos representam "ofensas" à gramática, "pecadilhos" (mesmo Wasburg, 1962, p. 349, alude à doutrina do pecado lingüístico original, que se encontra nos autores que perfilham esta concepção); uma nação indiferente à correção gramatical "deteriora-se", "estiola-se", "delingüe".

3.5 – Concepção objetiva: manipula conceitos propriamente lingüísticos e vê na língua culta apenas uma variedade a mais, personalizando-se por dispor de prestígio, neutralidade (isto é, não apresenta regionalismos evidentes), e conformidade com a área geo-social em que está o indivíduo. Neste sentido, "o incorreto, portanto, será o desvio ou o insulamento dentro da área isoglótica" (Guérios, 1967, p. 223).

Constituição da norma culta do português do Brasil

4. Em nosso caso, como no do espanhol americano, pode-se dizer que durante a época colonial a norma idiomática da metrópole servia de modelo (Lope Blanch, 1972, p. 30). Isso fica mais patente na língua literária, em que o destinatário exerceu grande influência.

Durante o período colonial nossos escritores produziam suas obras de olhos postos em Portugal. Não havia, em nosso país, público para eles; o analfabetismo era extensivo, as escolas eram poucas e apenas de nível elementar, pois o curso superior viria a dar seus primeiros passos apenas em 1808. Em Portugal iam buscar sua formação, e com isso sua linguagem representava o padrão de Lisboa ou de Coimbra.

Somente após o Modernismo passamos a contar com autores formados no Brasil, escrevendo para brasileiros e indiferentes aos críticos portugueses. Entretanto, mesmo posteriormente à Época Colonial houve momentos de reação, caracterizando-se a oscilação entre o uso canônico e o uso popular surpreendida por (A. Houaiss, 1948). O Romantismo promoveu a primeira afirmação de brasilidade de nossa linguagem, contra a qual reagiram o Parnasianismo e o Simbolismo, que cultivaram um português classicizante. São dessa época as coleções "Clássicos Esquecidos", de Solidônio Leite, e "Estante Clássica", de Laudelino Freire. Além disso, fundou-se a Academia Brasileira de Letras, que deveria zelar pela "pureza" do idioma e reagir contra os fatores de diversificação. O Modernismo retomou a linha nacionalista. Graça Aranha rompe com a Academia, após haver proposto a elaboração de um dicionário isento de portuguesismos e que acolhesse vocábulos e expressões da linguagem corrente brasileira. A partir daqui, lançam-se os modernistas à busca do sentido brasileiro da língua portuguesa, de que resultou, sobretudo no estrato da personagem: (1) a diminuição da distância entre língua falada e língua escrita literária; (2) a elevação à categoria de estilo nacional do que era antes considerado erro, ignorância de brasileiros. Aparentemente os escritores contemporâneos ampliaram essas tendências, estendendo-as também ao estrato do narrador, com o que a linguagem coloquial entra mais fundo na língua literária, desembaraçando-a dos impedimentos impostos pela gramática prescritiva tradicional.

O ensino da variação lingüística e da norma culta

5. Anteriormente à extensão da escolaridade obrigatória até a oitava série, nosso ensino secundário destinava-se quase que exclusivamente às classes média e alta urbana, as quais já vinham para a escola dominando a norma culta. Os livros didáticos privilegiavam (e ainda privilegiam) essa classe, cujos ideais transparecem nos textos escolhidos pelos antologistas.

Nos últimos anos o alunado de 1º grau expandiu-se amplamente, incorporando contingentes da classe baixa (Faria, 1976) que trazem para a escola as variedades desprestigiadas do português.

Infelizmente, a rotina escolar não se alterou para enfrentar esse problema, e assim os livros didáticos e a preparação dos professores não demonstram sensibilidade para as enormes mudanças de clientela operadas na última década. Tudo isso se reduziu, como se ouve com freqüência nos encontros de professores – a um mero caso de "abaixamento de nível"

Para fazer face a essa situação, e ainda levando em conta o propósito de vivificar o ensino escolar, pelo menos duas questões deveriam ser consideradas: o estudo da variação lingüística e o ensino da norma culta.

5.1 – Há uma série de motivações que justificam e tornam aconselhável a inclusão do estudo da variação lingüística entre nossas práticas costumeiras de ensino da língua materna: (1) A pesquisa sociológica e antropológica contemporânea vem "redescobrindo" o Brasil como uma nação complexa, formada por um tabuleiro de comunidades diferenciadas, compondo um quadro bem diverso do da historiografia oficial. Se a finalidade maior do ensino público é preparar o cidadão lúcido, não vemos como sonegar essa riqueza toda, sobretudo no caso do ensino do português. (2) O ensino exclusivista da norma culta pode gerar dificuldades, como veremos no item 5.2; (3) Os estudos dialetológicos e socio-lingüísticos têm descrito modalidades não *standard* do português brasileiro, que compõem o nosso universo lingüístico; (4) A literatura brasileira contemporânea e a sobrevivência de uma produção literária antiga (como a chamada literatura de cordel e toda a literatura oral) têm aberto um espaço considerável à cultura popular, constituindo-se em interessantes fontes de materiais para uso em classe.

A consideração desses tópicos torna evidente que devemos reformular os objetivos do ensino do português – e esta proposição curricular pretende oferecer uma alternativa para isso.

Pode-se resumir nossa proposta

numa palavra: aumento do repertório lingüístico do aluno mediante práticas de recepção e de produção de textos que considerem as variedades mais importantes do português. Os materiais aí contidos deveriam ser analisados do ponto de vista fonético, gramatical e lexical de maneira tal que estas disciplinas lingüísticas não constituíssem um fim em si, antes um instrumento para a formação do repertório referido. Assim, o objetivo maior deveria ser o conhecimento da língua portuguesa no Brasil em toda a sua riqueza.

5.2 – Do ponto de vista do ensino da norma – uma das finalidades da escola, conquanto não a única – a maior dificuldade a considerar pelos professores está na imposição brusca de padrão lingüístico de uma classe sobre outra, com o que continuaremos a promover nas classes mais baixas o "complexo de incompetência lingüística" a que alude (Rodrigues, 1975). Pois a disparidade lingüística entre a classe baixa e a classe média e alta configuram um verdadeiro caso de diglossia, figura a que os educadores brasileiros não estão afeitos, dadas as mudanças de clientela já aludidas.

Convém, inicialmente, especificar o que entendemos por diglossia; trata-se de duas variedades da mesma língua que escolhemos alternativamente, tendo em vista a situação em que nos encontramos. Difere, portanto, do bilingüismo, hipótese em que duas línguas são disponíveis, e a escolha de cada qual depende da que é falada pelo interlocutor. Se o professor, que por sua formação domina a língua culta, vai ter por alunos falantes de uma modalidade desprestigiada, entre ele e sua classe vai instalar-se uma situação de diglossia. Há pesquisas em andamento para avaliar até que ponto o material didático, as aulas e as instruções para a avaliação da aprendizagem vazados numa modalidade que o aluno não domina mais prejudicam do que o ajudam. Os dados disponíveis indicam que o professor deve resistir à idéia de liquidar a variedade inculta em favor da norma culta. Parece que o melhor será conduzir os alunos a alternar a fala familiar com a norma culta, em conformidade com as situações do intercurso verbal. A melhor forma de viabilizar essa atitude passaria pelos seguintes problemas, que aqui enumeramos para a discussão dos colegas: (1) Deveria o professor conhecer previamente as variedades desprestigiadas que vai encontrar entre seus alunos? Nesse caso, que formação específica lhe deveria ser ministrada para que dispusesse de métodos de observação e de descrição dessas variedades? (2) Seria recomendável uma "especialização" dos professores segundo o nível sócio-cultural de seus alunos? (3) Qual a proporção das aulas reservadas para o estudo do português culto, e qual a forma de alternar esse estudo com o das variedades desprestigiadas? (4) Deveriam as aulas que considerassem o falar desprestigiado ater-se unicamente à sua modalidade oral, ou poderiam incluir-se os textos redigidos nessa modalidade? (5) Em conseqüência, que tipos de materiais didáticos seriam necessários (fitas gravadas, filmes, literatura regional), e que estudos da competência lingüística do aluno seriam requeridos? (6) Para a utilização desses materiais não convencionais, que tipo de formação teórica e prática em técnicas de comunicação de massa (pois haverá mais uma "animação" da classe do que uma acadêmica transmissão de conteúdos) e em métodos heurísticos deveria receber o professor?

Possam estas interrogações libertar finalmente o professor de português da mentalidade tradicional e vivificar o ensino da língua materna em nossas escolas!

Questões para REFLEXÃO

Além da norma no "sentido amplo" e no "sentido restrito" de que fala o autor, temos norma "como se fala" e norma de "como se deveria falar".

Reflita sobre a questão "norma lingüística brasileira". Há apenas uma norma, segundo o autor?

Reflita sobre as mesmas questões propostas a propósito do texto nº 3!

Você acha válido redigir um ofício em linguagem cabocla? É válido (é eficaz) usar expressões do tipo "Querendo que eu vo-los traga?" para com o analfabeto?

O que você tem a dizer de afirmações como estas: "O caboclo fala tudo errado", "Nenhum brasileiro fala o português corretamente", "Só os portugueses falam bem" etc.?

EXERCÍCIO

Releia sua primeira redação (a historinha). Achou alguma falha nela? Caso a resposta seja afirmativa, melhore-a. Este é o momento de cuidar da forma. Naquela altura, a única coisa importante era pôr para fora o que você tinha para dizer. Agora você vai encarar o próprio texto criticamente. Continue guardando-o.

LEITURAS RECOMENDADAS

- COSERIU, Eugenio. **Teoria da linguagem e lingüística.** Cinco estudos. Rio de Janeiro, Presença, 1979.
- COUTO, Hildo Honório do. A questão da norma. In: **O que é português brasileiro.** S. Paulo, Brasiliense, 1986. p. 74-91.
- CUNHA, Celso. **Língua portuguesa e realidade brasileira.** Rio de Janeiro, Tempo Brasileiro, 1970.
- GERALDI, João Wanderley. **O texto na sala de aula. Leitura e produção.** Cascavel, Assoeste, 1985, (diversos ensaios).
- POSSENTI, Sírio. Uma variante é variante de quê? In: **Boletim de Abralin** (8):107-117.

Lembrete: **Para escrever bem, é necessário ler muito e escrever muito, criticamente.**

5 A Interação Verbal

MICHAIL BAKHTIN

A segunda orientação do pensamento filosófico-lingüístico liga-se ao Racionalismo e ao Neoclassicismo. A primeira orientação – a do subjetivismo individualista – está ligada ao Romantismo. O Romantismo foi, em grande medida, uma reação contra a palavra estrangeira e o domínio que ela exerceu sobre as categorias do pensamento. Mais particularmente, o Romantismo foi uma reação contra a última reincidência do poder cultural da palavra estrangeira: as épocas do Renascimento e do Classicismo. Os românticos foram os primeiros filólogos da língua materna, os primeiros a tentar reorganizar totalmente a reflexão lingüística sobre a base da atividade mental em língua materna, considerada como meio de desenvolvimento da consciência e do pensamento. É verdade, contudo, que os românticos permaneceram filólogos no sentido estrito do termo. Estava além de suas forças, com certeza, reestruturar uma maneira de pensar sobre a língua que se formara e mantivera durante séculos. Não obstante, foram introduzidas naquela reflexão novas categorias, e elas é que deram à primeira orientação suas características específicas. É sintomático que mesmo os representantes recentes do subjetivismo individualista sejam especialistas em línguas modernas, principalmente românticas (Vossler, Leo Spitzer, Lorck e outros).

Entretanto, o subjetivismo individualista apóia-se também sobre a enunciação monológica como ponto de partida da sua reflexão sobre a língua. É verdade que seus representantes não abordaram a enunciação monológica do ponto de vista do filólogo de compreensão passiva, mas, sim, de dentro, do ponto de vista da pessoa que fala, exprimindo-se.

Como se apresenta a enunciação monológica do ponto de vista do subjetivismo individualista? Vimos que ela se apresenta como um ato puramente individual, como uma expressão da consciência individual, de seus desejos, suas intenções, seus impulsos criadores, seus gostos etc. A categoria da expressão é aquela categoria geral, de nível superior, que engloba o ato de fala, a enunciação.

Mas o que é afinal a expressão? Sua mais simples e mais grosseira definição é: tudo aquilo que, tendo se formado e determinado de alguma maneira no psiquismo do indivíduo, exterioriza-se objetivamente para outrem com a ajuda de algum código de signos exteriores.

A expressão comporta, portanto, duas facetas: o *conteúdo* (interior) e sua *objetivação exterior* para outrem (ou também para si mesmo). Toda teoria da expressão, por mais refinadas e complexas que sejam as formas que ela pode assumir, deve levar em conta, inevitavelmente, essas duas facetas: todo o ato expressivo move-se entre elas. Conseqüentemente, a teoria da expressão deve admitir que o conteúdo a exprimir pode constituir-se fora da expressão, que ele começa a existir sob uma certa forma, para passar em seguida a uma outra. Pois, se não fosse assim, se o conteúdo a exprimir existisse desde a origem sob a forma de expressão, se houvesse entre o conteúdo e a expressão uma passagem quantitativa (no sentido de um esclarecimento, de uma diferenciação, etc.), então toda a teoria da expressão cairia por terra. A teoria da expressão supõe, inevitavelmente, um certo dualismo entre o que é interior e o que é exterior, com primazia explícita do conteúdo interior, já que todo ato de objetivação (expressão) procede do interior para o exterior. Suas fontes são interiores. Não é por acaso que a teoria do subjetivismo individualista, como todas as teorias da expressão, só se pôde desenvolver sobre um terreno idealista e espiritualista. Tudo que é essencial é interior, o que é exterior só se torna essencial a título de receptáculo do conteúdo interior, de meio de expressão do espírito.

É verdade que, exteriorizando-se, o conteúdo interior muda de aspecto, pois é obrigado a apropriar-se do material exterior, que dispõe de suas próprias regras, estranhas ao pensamento interior. No curso do processo de dominar o material, de submetê-lo, de transformá-lo em *meio* obediente, da expressão, o conteúdo da atividade verbal a exprimir muda de natureza e é forçado a um certo compromisso. Por isso, o idealismo, que deu origem a todas as teorias da expressão, engendrou igualmente teorias que rejeitam completamente a expressão, considerada como deformação da pureza do pensamento interior[1]. Em todo caso, todas as forças criadoras e organizadoras da expressão estão no interior. O exterior constitui apenas o material passivo do que está no interior. Basicamente, a expressão se constrói no interior; sua exteriorização não é senão a sua tradução. Disso resulta que a compreensão, o comentário e a explicação do fato ideológico devem dirigir-se para o interior, isto é, fazer o caminho inverso do da expressão: procedendo da objetivação exterior, a explicação deve infiltrar-se até as suas raízes formadoras internas. Essa é a concepção da expressão no subjetivismo individualista.

A teoria da expressão que serve de fundamento à primeira orientação do pensamento filosófico-lingüístico é radicalmente falsa. O conteúdo a exprimir e sua objetivação externa são criados, como vimos, a partir de um único e mesmo material, pois não existe atividade mental sem expressão semiótica. Conseqüentemente, é preciso eliminar de saída o princípio de uma distinção qualitativa entre o conteúdo interior e a expressão exterior. Além disso, o centro organizador e formador não se situa no interior, mas no exterior. Não é a atividade mental que organiza a expressão, mas, ao contrário, é *a expressão que organiza a atividade mental,* que a modela e determina sua orientação.

Qualquer que seja o aspecto da expressão-enunciação considerado, ele será determinado pelas condições reais da enunciação em questão, isto é, antes de tudo pela *situação social mais imediata.*

Com efeito, a enunciação é o produto da interação de dois indivíduos socialmente organizados e, mesmo que não haja um interlocutor real, este pode ser substituído pelo representante médio do grupo social ao qual pertence o locutor. *A palavra dirige-se a um interlocutor:* ela é função da pessoa desse interlocutor: variará se se tratar de uma pessoa do mesmo grupo social ou não, se esta for inferior ou superior na hierarquia social, se estiver ligada ao locutor por laços sociais mais ou menos estreitos (pai, mãe, marido etc.). Não pode haver interlocutor abstrato; não teríamos linguagem comum com tal interlocutor, nem no sentido próprio nem no figurado. Se algumas vezes temos a pretensão de

1. "O pensamento expresso pela palavra é uma mentira" (Tiutchev). "Oh, se pelo menos alguém pudesse exprimir a alma sem palavras!" (Fiet). Essas duas declarações são típicas do romantismo idealista.

pensar e de exprimir *urbi et orbi*, na realidade é claro que vemos "a cidade e o mundo" através do prisma do meio social concreto que nos engloba. Na maior parte dos casos, é preciso supor, além disso, um certo *horizonte social* definido e estabelecido que determina a criação ideológica do grupo social e da época a que pertencemos, um horizonte contemporâneo da nossa literatura, da nossa ciência, da nossa moral, do nosso direito.

O mundo interior e a reflexão de cada indivíduo têm um *auditório social* próprio bem estabelecido, em cuja atmosfera se constróem suas deduções interiores, suas motivações, apreciações etc. Quanto mais aculturado for o indivíduo, mais o auditório em questão se aproximará do auditório médio da criação ideológica, mas, em todo caso, o interlocutor ideal não pode ultrapassar as fronteiras de uma classe e de uma época bem definidas.

Essa orientação da palavra em função do interlocutor tem uma importância muito grande. Na realidade, toda palavra comporta *duas faces*. Ela é determinada tanto pelo fato de que procede de alguém, como pelo fato de que se dirige para alguém. Ela constitui justamente o *produto da interação do locutor e do ouvinte*. Toda palavra serve de expressão a um em relação ao outro. Através da palavra, defino-me em relação ao outro, isto é, em última análise, em relação à coletividade. A palavra é uma espécie de ponte lançada entre mim e os outros. Se ela se apóia sobre mim numa extremidade, na outra apóia-se sobre o meu interlocutor. A palavra é o território comum do locutor e do interlocutor.

Mas, como se define o locutor? Com efeito, se a palavra não lhe pertence totalmente, uma vez que ela se situa numa espécie de zona fronteiriça, cabe-lhe, contudo, uma boa metade. Em determinado momento, o locutor é incontestavelmente o único dono da palavra, que é então sua propriedade inalienável. É o instante do ato fisiológico de materialização da palavra. Mas a categoria da propriedade não é aplicável a esse ato, na medida em que ele é puramente fisiológico.

Se, ao contrário, considerarmos não o ato físico de materialização do som, mas a materialização da palavra como signo, então a questão da propriedade tornar-se-á bem mais complexa. Deixando de lado o fato de que a palavra, como signo, é extraída pelo locutor de um estoque social de signos disponíveis, a própria realização deste signo social na enunciação concreta é inteiramente determinada pelas relações sociais. A individualização estilística da enunciação de que falam os vosslerianos, constitui justamente este reflexo da inter-relação social, em cujo contexto se constrói uma determinada enunciação. *A situação social mais imediata e o meio social mais amplo determinam completamente e, por assim dizer, a partir do seu próprio interior, a estrutura da enunciação.*

Na verdade, qualquer que seja a enunciação considerada, mesmo que não se trate de uma informação factual (a comunicação, no sentido estrito), mas da expressão verbal de uma necessidade qualquer – por exemplo, a fome – é certo que ela, na sua totalidade, é socialmente dirigida. Antes de mais nada, ela é determinada da maneira mais imediata pelos participantes do ato de fala, explícitos ou implícitos, em ligação com uma situação bem precisa; a situação dá forma à enunciação, impondo-lhe esta ressonância em vez daquela – por exemplo, a exigência ou a solicitação, a afirmação de direitos ou a prece pedindo graça – um estilo rebuscado ou simples, a segurança ou a timidez etc. A situação e os participantes mais imediatos determinam a forma e o estilo ocasionais da enunciação. Os estratos mais profundos da sua estrutura são determinados pelas pressões sociais mais substanciais e duráveis a que está submetido o locutor.

Se tomarmos a enunciação no estágio inicial de seu desenvolvimento, "na alma", não se mudará a essência das coisas, já que a estrutura da atividade mental é tão social como a da sua objetivação exterior. O grau de consciência, de clareza, de acabamento formal da atividade mental é diretamente proporcional ao seu grau de orientação social.

Na verdade, a simples tomada de consciência, mesmo confusa, de uma sensação qualquer – digamos, a fome – pode dispensar uma expressão exterior, mas não dispensa uma expressão ideológica; tanto isso é verdade, que toda tomada de consciência implica discurso interior, entoação interior e estilo interior, ainda que rudimentares. A tomada de consciência da fome pode ser acompanhada de deprecação, de raiva, de lamento ou de indignação. Enumeramos aqui apenas os matizes mais grosseiros e mais marcados da entoação interior; na realidade, a atividade mental pode ser marcada por entoações sutis e complexas. A expressão exterior, na maior parte dos casos, apenas prolonga e esclarece a orientação tomada pelo discurso interior, e as entoações que ele contém.

De que maneira será marcada a sensação interior da fome? Isso depende ao mesmo tempo da situação imediata em que se situa a percepção, e da situação social da pessoa faminta, em geral. Com efeito, essas são as condições que determinam o contexto apreciativo, o ângulo social em que será recebida a sensação da fome. O contexto social imediato determina quais serão os ouvintes possíveis, amigos ou inimigos para os quais serão orientadas a consciência e a sensação da fome: as imprecações serão lançadas contra a natureza ingrata, contra si mesmo, a sociedade, um grupo social determinado, um certo indivíduo? Claro, é preciso distinguir graus na consciência, na clareza e na diferenciação dessa orientação social da experiência mental. Mas é certo que sem uma orientação social de caráter apreciativo não há atividade mental. Mesmo os gritos de um recém-nascido são orientados para a mãe. Pode-se descrever a fome, acrescentando-se um apelo à revolta, à agitação; nesse caso, a atividade mental será estruturada em função de um apelo potencial, a fim de provocar a agitação; a tomada de consciência pode tomar a forma do protesto etc.

Na relação com um ouvinte potencial (e, algumas vezes, distintamente percebido), podem-se distinguir dois pólos, dois limites, dentro dos quais se realiza a tomada de consciência e a elaboração ideológica. A atividade mental oscila de um a outro. Por convenção, chamemos esses dois pólos *atividade mental do eu e atividade mental do nós*.

Na verdade, a atividade mental do *eu* tende para a auto-eliminação; à medida que se aproxima do seu limite, perde a sua modelagem ideológica e, conseqüentemente, seu grau de consciência, aproximando-se, assim, da reação fisiológica do animal. A atividade mental dilapida, então, seu potencial, seu esboço de orientação social e perde, portanto, sua representação verbal. Atividades mentais isoladas ou mesmo seqüências inteiras, podem tender para o pólo do *eu*, prejudicando, assim, sua clareza e sua modelagem ideológica, e dando provas de que a consciência foi incapaz de enraizar-se socialmente[2].

A atividade mental do *nós* não é uma atividade de caráter primitivo, gregário: é uma atividade diferenciada. Melhor ainda, a diferenciação ideológica, o crescimento do grau de consciência são diretamente proporcionais à firmeza e à estabilidade da orientação social. Quanto mais forte, mais bem organizada e diferenciada for a coletividade no interior da qual o indivíduo se orienta, mais distinto e complexo será o seu mundo interior.

A atividade mental do *nós* permite diferentes graus e diferentes tipos de modelagem ideológica.

Suponhamos que o homem faminto tome consciência da sua fome no meio de uma multidão heteróclita de pessoas igualmente famintas, cuja situação se deve ao acaso (desafortunados, mendigos etc.). A atividade mental desse indivíduo isolado, sem classe, terá uma coloração específica e tenderá para formas ideológicas determinadas, cuja gama pode ser bastante extensa: a resignação, a vergonha, o sentimento de dependência e muitas outras tonalidades tingirão sua atividade mental. As formas ideológicas correspondentes, isto é, o resultado dessa atividade mental, serão conforme o caso, ou o protesto individualista do mendigo, ou a resignação mística do penitente.

Suponhamos agora que o faminto pertença a uma coletividade onde a fome não se deve ao acaso, onde ela é uma realidade coletiva, mas onde, entretanto, não existe vínculo material sólido entre os famintos, de forma que cada um deles passa fome isoladamente. É essa, freqüentemente, a situação dos camponeses. A coletividade (o *"mir"**) sente a fome, mas seus membros estão materialmente isolados, não estão ligados por uma economia comum, cada um suporta a fome no pequeno mundo fechado de sua própria exploração. Em tais condições, predominará uma consciência da fome feita de resignação, mas desprovida de sentimento de vergonha ou de humilhação: cada um diz a si próprio: "Já que todos sofrem em

2. Sobre a possibilidade de uma série de experiências sexuais humanas escaparem ao contexto social, como perda concomitante da verbalização da experiência, ver Freidizm, **op. cit.** p. 135-136.

* Organismo de propriedade coletiva rural antes da revolução de 1917. (n.d.T.fr.).

silêncio, eu também o farei". É sobre um tal terreno que se desenvolvem os sistemas filosóficos e religiosos fundados sobre o fatalismo e a resignação na adversidade (os primeiros cristãos, os tolstoianos etc.).

De maneira completamente diferente será experimentada a fome pelos membros de uma coletividade unida por vínculos materiais objetivos (batalhão de soldados, operários reunidos no interior da usina, trabalhadores numa grande propriedade agrícola de tipo capitalista, enfim toda uma classe social desde que nela tenha amadurecido a noção de "classe para si"). Nesse caso, dominarão na atividade mental as tonalidades do protesto ativo e seguro de si mesmo; não haverá lugar para uma mentalidade resignada e submissa. É aí que se encontra o terreno mais favorável para um desenvolvimento nítido e ideologicamente bem formado da atividade mental[3].

Todos os tipos de atividade mental que examinamos, com suas inflexões principais, geram modelos e formas de enunciações correspondentes. Em todos os casos, a situação social determina que modelo, que metáfora, que forma de enunciação servirá para exprimir a fome a partir das direções inflexivas da experiência.

É preciso classificar à parte a *atividade mental para si*. Ela distingue-se claramente da atividade mental do eu que definimos acima. A atividade mental individualista é perfeitamente diferenciada e definida. O individualismo é uma forma ideológica particular da atividade mental do *nós* da classe burguesa (encontra-se um tipo análogo na classe feudal aristocrática). A atividade mental de tipo individualista caracteriza-se por uma orientação social sólida e afirmada. Não é do interior, do mais profundo da personalidade que se tira a confiança individualista em si, a consciência do próprio valor, mas do exterior; trata-se da explicitação ideológica do meu *status* social, da defesa pela lei e por toda a estrutura da sociedade de um bastião objetivo, a minha posição econômica individual. A personalidade individual é tão socialmente estruturada como a atividade mental de tipo coletivista: a explicitação ideológica de uma situação econômica complexa e estável projeta-se na alma individual. Mas a contradição interna que está inscrita nesse tipo de atividade mental do *nós*, assim como na estrutura social correspondente, cedo ou tarde destruirá sua modelagem ideológica.

Encontra-se uma estrutura análoga na atividade mental *para si* isolada ("a capacidade e a força de sentir-se no seu direito enquanto indivíduo isolado", atitude cultivada em particular por Romain Rolland, e, em parte, igualmente por Tolstói). O orgulho que esta posição solitária implica apóia-se igualmente sobre o "nós". Essa variante da atividade mental do *nós* é característica da *intelligentsia* ocidental contemporânea. As palavras de Tolstói, afirmando que existe um pensamento para si e um pensamento para o público, implicam uma confrontação entre duas concepções de público. Esse "para si" tolstoiano, na realidade, apenas indica uma concepção social do ouvinte que lhe é própria. O pensamento não existe fora de sua expressão potencial e, conseqüentemente, fora da orientação social dessa expressão e o próprio pensamento.

Assim, a personalidade que se exprime, apreendida, por assim dizer, do interior, revela-se um produto total da inter-relação social. A atividade mental do sujeito constitui, da mesma forma que a expressão exterior, um território social. Em conseqüência, todo o itinerário que leva da atividade mental (o "conteúdo a exprimir") à sua objetivação externa (a "enunciação") situa-se completamente em território social. Quando a atividade mental se realiza sob a forma de uma enunciação, a orientação social à qual ela se submete adquire maior complexidade graças à exigência de adaptação ao contexto social imediato do ato de fala, e, acima de tudo, aos interlocutores concretos.

Tudo isso lança uma nova luz sobre o problema da consciência e da ideologia. *Fora de sua objetivação, de sua realização num material determinado* (o gesto, a palavra, o grito), a *consciência é uma ficção*. Não é senão uma construção ideológica incorreta, criada sem considerar os dados concretos da expressão social. Mas, enquanto expressão material estruturada (através da palavra, do signo, do desenho, da pintura, do som musical etc.), a consciência constitui um fato objetivo e uma força social imensa. É preciso notar que essa consciência não se situa acima

3. Dados interessantes sobre a expressão da fome podem ser encontrados nas obras de um célebre lingüista contemporâneo, membro da escola de Vossler, Leo Spitzer: **Italienische Kriegsgefangenenbriefe** e **Die Umschreibungen des Begriffes Hunger**. O problema fundamental exposto é a adaptação flexível da palavra e da representação às condições de uma situação excepcional. Falta ao autor, contudo, uma abordagem sociológica genuína.

do ser e não pode determinar a sua constituição, uma vez que ela é, ela mesma, uma parte do ser, uma das suas forças; e é por isso que a consciência tem uma existência real e representa um papel na arena do ser. Enquanto a consciência permanece fechada na cabeça do ser consciente, com uma expressão embrionária sob a forma de discurso interior, o seu estado é apenas de esboço, o seu raio de ação ainda limitado. Mas assim que passou por todas as etapas da objetivação social, que entrou no poderoso sistema da ciência, da arte, da moral e do direito, a consciência torna-se uma força real, capaz mesmo de exercer em retorno uma ação sobre as bases econômicas da vida social. Certo, essa força materializa-se em organizações sociais determinadas, reforça-se por uma expressão ideológica sólida (a ciência, a arte, etc) mas, mesmo sob a forma original confusa do pensamento que acaba de nascer, pode-se já falar de fato social e não de ato individual interior.

A atividade mental tende desde a origem para uma expressão externa plenamente realizada. Mas pode acontecer também que ela seja bloqueada, freada: nesse último caso, a atividade mental desemboca numa expressão inibida (não nos ocuparemos aqui do problema muito complexo das causas e condições do bloqueio). Uma vez materializada, a expressão exerce um efeito reversivo sobre a atividade mental: ela põe-se então a estruturar a vida interior, a dar-lhe uma expressão ainda mais definida e mais estável.

Essa ação reversiva da expressão bem formada sobre a atividade mental (isto é, a expressão interior) tem uma importância enorme, que deve ser sempre considerada. Pode-se dizer que não é tanto a expressão que se adapta ao nosso mundo interior, mas *o nosso mundo interior que se adapta às possibilidades de nossa expressão*, aos seus caminhos e orientações possíveis. Chamaremos a totalidade da atividade mental centrada sobre a vida cotidiana, assim como a expressão que a ela se liga, *ideologia do cotidiano*, para distingui-la dos sistemas ideológicos constituídos, tais como a arte, a moral, o direito etc. A ideologia do cotidiano constitui o domínio da palavra interior e exterior desordenada e não fixada num sistema, que acompanha cada um dos nossos atos ou gestos e cada um dos nossos estados de consciência. Considerando a natureza sociológica da estrutura da expressão e da atividade mental, podemos dizer que a ideologia do cotidiano corresponde, no essencial, àquilo que se designa, na literatura marxista, sob o nome de "psicologia social". Nesse contexto particular, preferimos evitar o termo "psicologia", pois importa-nos apenas o conteúdo do psiquismo e da consciência; ora, esse conteúdo é totalmente ideológico, sendo determinado por fatores não individuais e orgânicos (biológicos, fisiológicos), mas puramente sociológicos. O fator individual-orgânico não é pertinente para a compreensão das forças criadoras e vivas essenciais do conteúdo da consciência.

Os sistemas ideológicos constituídos da moral social, da ciência, da arte e da religião cristalizam-se a partir da ideologia do cotidiano, exercem, por sua vez, sobre esta, em contrapartida, uma forte influência e dão, assim, normalmente o tom a essa ideologia. Mas, ao mesmo tempo, esses produtos ideológicos constituídos conservam constantemente um elo orgânico vivo com a ideologia do cotidiano; alimentam-se de sua seiva, pois, fora dela morrem, assim como morrem, por exemplo, a obra literária acabada ou a idéia cognitiva se não são submetidas a uma avaliação crítica viva. Ora, essa avaliação crítica, que é a única razão de ser de toda produção ideológica, opera-se na língua da ideologia do cotidiano. Esta coloca a obra numa situação social determinada. A obra estabece, assim, vínculos com o conteúdo total da consciência dos indivíduos receptores e só é apreendida no contexto dessa consciência que lhe é contemporânea. A obra é interpretada no espírito desse conteúdo da consciência (dos indivíduos receptores) e recebe dela uma nova luz. É nisso que reside a vida da obra ideológica. Em cada época de sua existência histórica, a obra é levada a estabelecer contatos estreitos com a ideologia cambiante do cotidiano, a impregnar-se dela, a alimentar-se da seiva nova secretada. É apenas na medida em que a obra é capaz de estabelecer um tal vínculo orgânico e ininterrupto com a ideologia do cotidiano de uma determinada época, que ela é capaz de viver nesta época (é claro, nos limites de um grupo social determinado).

Rompido esse vínculo, ela cessa de existir, pois deixa de ser apreendida como ideologicamente significante.

Na ideologia do cotidiano, é preciso distinguir vários níveis, determinados pela escala social que serve para medir a atividade mental e a expressão, e pelas forças sociais em relação às quais eles devem diretamente orientar-se.

O horizonte no qual esta ou aquela atividade mental ou expressão se materializa pode ser, como vimos, mais ou menos amplo. O pequeno mundo da atividade mental pode ser limitado e confuso, sua orientação social pode ser acidental, pouco durável e pertinente apenas no quadro da reunião fortuita e por tempo limitado de algumas pessoas. É claro, mesmo essas atividades mentais ocasionais têm uma coloração sociológica e ideológica, mas situam-se já na fronteira do normal e do patológico. A atividade mental fortuita permanece isolada da vida espiritual dos indivíduos. Ela não é capaz de consolidar-se e de encontrar uma expressão completa e diferenciada. Pois, se ela não é dotada de um auditório social determinado, sobre que bases poderia diferenciar-se e tomar uma forma acabada? A fixação de uma atividade mental como essa é ainda mais impossível por escrito, e a *fortiori* sob forma impressa. A atividade mental nascida de uma situação fortuita não tem a menor chance de adquirir uma força e uma ação duráveis no plano social.

Esse tipo de atividade mental constitui o nível inferior, aquele que desliza e muda mais rapidamente na ideologia do cotidiano. Conseqüentemente, colocaremos nesse nível todas as atividades mentais e pensamentos confusos e informes que se acendem e apagam na nossa alma, assim como as palavras fortuitas ou inúteis. Estamos diante de abortos da orientação social, incapazes de viver, comparáveis a romances sem heróis ou a representações sem espectadores. São privados de toda lógica ou unicidade. É extremamente difícil perceber nesses farrapos ideológicos leis sociológicas. No nível inferior da ideologia do cotidiano, só se apreendem regras estatísticas: é apenas a partir de uma grande massa de produtos dessa ordem que se podem descobrir as grandes linhas de uma ordem sócio-econômica. Claro, na prática, é impossível descobrir as premissas sócio-econômicas de uma atividade mental ou de uma expressão isoladas.

Os níveis superiores da ideologia do cotidiano que estão em contato direto com os sistemas ideológicos, são substanciais e têm um caráter de responsabilidade e de criatividade. São mais móveis e sensíveis que as ideologias constituídas. São capazes de repercutir as mudanças da infra-estrutura sócio-econômica mais rápida e mais distintamente. Aí justamente é que se acumulam as energias criadoras com cujo auxílio se efetuam as revisões parciais ou totais dos sistemas ideológicos. Logo que aparecem, as novas forças sociais encontram sua primeira expressão e sua elaboração ideológica nesses níveis superiores da ideologia do cotidiano, antes que consigam invadir a arena da ideologia oficial constituída. É claro, no decorrer da luta, no curso do processo de infiltração progressiva nas instituições ideológicas (a imprensa, a literatura, a ciência), essas novas correntes da ideologia do cotidiano, por mais revolucionárias que sejam, submetem-se à influência dos sistemas ideológicos estabelecidos, e assimilam parcialmente as formas práticas e abordagens ideológicas neles acumulados.

O que se chama habitualmente "individualidade criadora" constitui a expressão do núcleo central sólido e durável da orientação social do indivíduo. Aí situaremos principalmente os estratos superiores, mais bem formados, do discurso interior (ideologia do cotidiano), onde cada representação e inflexão passou pelo estágio da expressão, de alguma forma sofreu a prova da expressão externa. Aí situaremos igualmente as palavras, as entoações e os movimentos interiores que passaram com sucesso pela prova da expressão externa numa escala social mais ou menos ampla e adquiriram, por assim dizer, um grande polimento e lustro social, pelo efeito das reações e réplicas, pela rejeição ou apoio do auditório social.

Certamente, nos níveis inferiores da ideologia do cotidiano, o fator biográfico e biológico tem um papel importante, mas à medida que a enunciação se integra no sistema ideológico, decresce a importância desse fator. Conseqüentemente, se as explicações de caráter biológico e biográfico têm algum valor nos níveis superiores, o seu papel é extremamente modesto. Aqui o método sociológico objetivo tem total primazia.

Assim, a teoria da expressão subjacente ao subjetivismo individualista deve ser completamente rejeitada. O *centro* organizador de toda enunciação, de toda expressão, não é interior, mas exterior: está situado no meio social que envolve o indivíduo. Só o grito inarticulado de um animal procede do interior, do aparelho fisiológico do indivíduo isolado. É uma reação fisiológica pura e não ideologicamente marcada. Pelo contrário, a enunciação humana mais primitiva, ainda que realizada por um organismo individual, é, do ponto de vista do seu conteúdo, de sua significação, organizada fora do indivíduo pelas condições extra-orgânicas do meio social. A enunciação enquanto tal é puro produto da interação social, quer se trate de um ato de fala determinado pela situação imediata ou pelo contexto mais amplo que constitui o conjunto das condições de vida de uma determinada comunidade lingüística.

A enunciação individual (a *"parole"*), contrariamente à teoria do objetivismo abstrato, não é de maneira alguma um fato individual que, pela sua individualidade, não se presta à análise sociológica. Com efeito, se assim fosse, nem a soma desses atos individuais, nem as características abstratas comuns a todos esses atos individuais (as "formas normativamente idênticas") poderiam gerar um produto social.

O subjetivismo individualista tem razão em sustentar que as enunciações isoladas constituem a substância real da língua e que a elas está reservada a função criativa na língua. Mas está errado quando ignora e é incapaz de compreender a natureza social da enunciação e quando tenta deduzir esta última do mundo interior do locutor, enquanto expressão desse mundo interior. A estrutura da enunciação e da atividade mental a exprimir são de *natureza social*. A elaboração estilística da enunciação é de *natureza sociológica* e a própria cadeia verbal, à qual se reduz em última análise a realidade da língua, é *social*. Cada elo dessa cadeia é social, assim como toda a dinâmica da sua evolução.

O subjetivismo individualista tem toda a razão quando diz que não se pode isolar uma forma lingüística do seu conteúdo ideológico. Toda palavra é ideológica e toda utilização da língua está ligada à evolução ideológica. Está errado quando diz que esse conteúdo ideológico pode igualmente ser deduzido das condições do psiquismo individual.

O subjetivismo individualista está errado em tomar, da mesma maneira que o objetivismo abstrato, a enunciação monológica como seu ponto de partida básico. É verdade que alguns vosslerianos começaram a abordar o problema do diálogo, o que os leva a uma compreensão mais justa da interação verbal. Citaremos, por exemplo, o livro de Leo Spitzer, *Italienische Umgangsprache*, onde se encontra uma tentativa de análise das formas de italiano utilizado na conversação, em estreita ligação com as condições de utilização e sobretudo com a situação social do interlocutor[4]. O método de Leo Spitzer, contudo, é *psicológico-descritivo*. Ele não tira de sua análise nenhuma conclusão sociológica coerente. A enunciação monológica permanece a base da realidade lingüística para os vosslerianos.

Otto Dietrich colocou com grande clareza o problema da interação verbal[5]. Toma como ponto de partida a crítica da teoria de enunciação como meio de expressão. Para ele, a função central da linguagem não é a expressão, mas a *comunicação*. Isso o leva a considerar o papel do ouvinte. O par locutor-ouvinte constitui, para Dietrich, a condição necessária da linguagem. Contudo, ele partilha essencialmente as premissas psicológicas do subjetivismo individualista. Além disso, as pesquisas de Dietrich são desprovidas de qualquer base sociológica bem definida.

Agora estamos em condições de responder às questões que colocamos anteriormente. A verdadeira substância da língua não é constituída por um sistema abstrato de formas lingüísticas nem pela enunciação monológica isolada, nem pelo ato psicofisiológico de sua produção, mas pelo fenômeno social da *interação verbal*, realizada através da *enunciação* ou das *enunciações*. A interação verbal constitui assim a realidade fundamental da língua.

O diálogo, no sentido estrito do termo, não constitui, é claro, senão uma das formas – é verdade que das mais

4. A esse respeito, a própria construção do livro é sintomática. Ele divide-se em quatro partes, cujos títulos são: "I. Formas de Introdução do Diálogo. II. Locutor e Interlocutor: a) Cortesia Para com o Parceiro; b) Economia e Desperdício da Expressão; c) Imbricação de Fala e Réplica. III. Locutor e Situação. IV. Fim do Diálogo". Hermann Wunderlich precedeu Spitzer na direção do estudo da língua, da conversação corrente nas condições reais da comunicação. Cf. seu livro: **Unsere Umgangsprache**, 1894.

5. Ver **Die Probleme der Sprachpsychologie**, 1914.

importantes, da interação verbal. Mas pode-se compreender a palavra "diálogo" num sentido amplo, isto é, não apenas como a comunicação em voz alta, de pessoas colocadas face a face, mas toda comunicação verbal, de qualquer tipo que seja.

O livro, isto é, o ato de fala impresso, constitui igualmente um elemento da comunicação verbal. Ele é objeto de discussões ativas sob a forma de diálogo e, além disso, é feito para ser apreendido de maneira ativa, para ser estudado a fundo, comentado e criticado no quadro do discurso interior, sem contar as reações impressas, institucionalizadas, que se encontram nas diferentes esferas da comunicação verbal (críticas, resenhas, que exercem influência sobre os trabalhos posteriores etc.). Além disso, o ato de fala sob a forma de livro é sempre orientado em função das intervenções anteriores na mesma esfera de atividade, tanto as do próprio autor como as de outros autores: ele decorre, portanto, da situação particular de um problema científico ou de um estilo de produção literária. Assim, o discurso escrito é de certa maneira parte integrante de uma discussão ideológica em grande escala: ele responde a alguma coisa, refuta, confirma, antecipa as respostas e objeções potenciais, procura apoio etc.

Qualquer enunciação, por mais significativa e completa que seja, constitui apenas uma *fração* de uma corrente de comunicação verbal ininterrupta (concernente à vida cotidiana, à literatura, ao conhecimento, à política etc.). Mas essa comunicação verbal ininterrupta constitui por sua vez, apenas um momento na evolução contínua, em todas as direções, de um grupo social determinado. Um importante problema decorre daí: o estudo das relações entre a interação concreta e a situação extralingüística – não só a situação imediata, mas também, através dela, o contexto social mais amplo. Essas relações tomam formas diversas, e os diversos elementos da situação recebem, em ligação com uma ou outra forma, uma significação diferente (assim, os elos que se estabelecem com os diferentes elementos de uma situação de comunicação artística diferem dos de uma comunicação científica). A comunicação verbal não poderá jamais ser compreendida e explicada fora desse vínculo com a situação concreta. A comunicação verbal entrelaça-se inextricavelmente aos outros tipos de comunicação e cresce com eles sobre o terreno comum da situação de produção. Não se pode, evidentemente, isolar a comunicação verbal dessa comunicação global em perpétua evolução. Graças a esse vínculo concreto com a situação, a comunicação verbal é sempre acompanhada por atos sociais de caráter não verbal (gestos do trabalho, atos simbólicos de um ritual, cerimônias, etc.), dos quais ela é muitas vezes apenas o complemento, desempenhando um papel meramente auxiliar.

A língua vive e evoluiu historicamente na *comunicação verbal concreta, não no sistema lingüístico abstrato das formas da língua nem no psiquismo individual dos falantes.*

Disso decorre que a ordem metodológica para o estudo da língua deve ser o seguinte:

1. As formas e os tipos de interação verbal em ligação com as condições concretas em que se realiza.
2. As formas das distintas enunciações, dos atos de fala isolados, em ligação estreita com a interação de que constituem os elementos, isto é, as categorias de atos de fala na vida e na criação ideológica que se prestam a uma determinação pela interação verbal.
3. A partir daí, exame das formas da língua na sua interpretação lingüística habitual.

É nessa mesma ordem que se desenvolve a evolução real da língua: as relações sociais evoluem (em função das infra-estruturas), depois a comunicação e a interação verbais evoluem no quadro das relações sociais, as formas dos atos de fala evoluem em conseqüência da interação verbal e o processo de evolução reflete-se, enfim, na mudança das formas da língua.

De tudo o que dissemos, decorre que o problema das formas da enunciação considerada como um todo adquire enorme importância. Já indicamos que o que falta à lingüística contemporânea é uma abordagem da enunciação em si. Sua análise não ultrapassa a segmentação em constituintes imediatos. E, no entanto, as unidades reais da cadeia verbal são as enunciações. Mas, justamente, para estudar as formas dessas unidades convém não separá-las do curso histórico das enunciações. Enquanto um todo, a enunciação só se realiza no curso da comunicação verbal, pois o todo é determinado pelos seus limites, que se configuram pelos pontos de contato de uma determinada enunciação com o meio extraverbal e verbal (isto é, as outras enunciações).

A primeira palavra e a última, o começo e o fim de uma enunciação permitem-nos já colocar o problema do todo. O processo da fala, compreendida no sentido amplo como processo de atividade de linguagem tanto exterior como interior, é ininterrupto, não tem começo nem fim. A enunciação realizada é como uma ilha emergindo de um oceano sem limites, o discurso interior. As dimensões e as formas dessa ilha são determinadas pela situação da enunciação e por *seu auditório*. A situação e o auditório obrigam o discurso interior a realizar-se em uma expressão exterior definida, que se insere diretamente no contexto não verbalizado da vida corrente, e nele se amplia pela ação, pelo gesto ou pela resposta verbal dos outros participantes na situação de enunciação. Uma questão completa, a exclamação, a ordem, o pedido são enunciações completas típicas da vida corrente. Todas (particularmente as ordens, os pedidos) exigem um complemento extraverbal assim como um início não verbal. Esses tipos de discursos menores da vida cotidiana são modelados pela fricção da palavra contra o meio extraverbal e contra a palavra do outro.

Assim, a forma da ordem é determinada pelos obstáculos que ela pode encontrar, o grau de submissão do receptor etc. A modelagem das enunciações responde aqui a particularidades fortuitas e não reiteráveis das situações da vida corrente. Só se pode falar de fórmulas específicas, de estereótipos no discurso da vida cotidiana quando existem formas de vida em comum relativamente regularizadas, reforçadas pelo uso e pelas circunstâncias. Assim, encontram-se tipos particulares de fórmulas estereotipadas servindo às necessidades da conversa de salão, fútil e que não cria nenhuma obrigação, em que todos os participantes são familiares uns aos outros e onde a diferença principal é entre homens e mulheres. Encontram-se elaboradas formas particulares de palavras-alusões, de subentendidos, de reminiscências de pequenos incidentes sem nenhuma importância etc. Um outro tipo de fórmula elabora-se na conversa entre marido e mulher, entre irmão e irmã. Pessoas inteiramente estranhas umas às outras e reunidas por acaso (numa fila, numa entidade qualquer) começam, constróem e terminam suas declarações e suas réplicas de maneira completamente diferente. Encontram-se ainda outros tipos nos serões no campo, nas quermesses populares na cidade, na conversa dos operários à hora do almoço etc. Toda situação inscrita duravelmente nos costumes possui um auditório organizado de uma certa maneira e conseqüentemente um certo repertório de pequenas fórmulas correntes. A fórmula estereotipada adapta-se, em qualquer lugar, ao canal de interação social que lhe é reservado, refletindo ideologicamente o tipo, a estrutura, os objetivos e a composição social do grupo. As fórmulas da vida corrente fazem parte do meio social, são elementos da festa, dos lazeres, das relações que se travam no hotel, nas fábricas etc. Elas coincidem com esse meio, são por ele delimitadas e determinadas em todos os aspectos. Assim, encontram-se diferentes formas de construção de enunciações nos lugares de produção de trabalho e nos meios de comércio. No que se refere às formas da comunicação ideológica no sentido preciso do termo – as formas das declarações políticas, atos políticos, leis, decretos, manifestos etc.; e as formas das enunciações poéticas, tratados científicos, etc. – todas elas foram objeto de pesquisas especializadas em retórica e poética. Mas, como vimos, essas pesquisas estiveram completamente divorciadas, de um lado, do problema da linguagem e, do outro, do problema da comunicação social[6]. Uma análise fecunda das formas do conjunto de enunciações como unidades reais na cadeia verbal só é possível de uma perspectiva que encare a enunciação individual como um fenômeno puramente sociológico. A filosofia marxista da linguagem deve justamente colocar como base de sua doutrina a enunciação como realidade da linguagem e como estrutura sócio-ideológica.

Após ter mostrado a estrutura sociológica da enunciação, voltemos agora às duas orientações do pensamento

6. Sobre o tópico da disjunção de uma obra de arte literária das condições da comunicação artística e a resultante inércia da obra, ver nosso estudo, **"Slóvo v jízni i slóvo v poézii"** (A palavra na Vida e a Palavra na Poesia), **Zvesdá** (Estrela), Editora do Estado, (6), 1926. (N.d.T. am.).

filosófico-lingüístico para tirar conclusões definitivas. A lingüista moscovita R. Schor, que pertence à segunda orientação do pensamento filosófico-lingüístico (objetivismo abstrato), termina com as seguintes palavras um breve esboço da situação da lingüística contemporânca:

"A língua não é uma coisa (ergon), mas, antes, uma atividade natural e congênita do homem (energeia)", proclamava a investigação lingüística romântica do século XIX. É algo completamente diferente que diz a lingüística teórica contemporânea: "A língua não é uma atividade individual (energeia), mas um legado histórico-cultural da humanidade (ergon)."[7]

Essa conclusão espanta-nos por sua parcialidade e seu apriorismo. No plano dos fatos, ela é completamente falsa. Com efeito, a escola de Vossler liga-se igualmente à lingüística teórica contemporânea, sendo na Alemanha atual um dos movimentos mais fortes do pensamento lingüístico. É inadmissível reduzir a lingüística a apenas uma das suas orientações. No plano da teoria, é preciso refutar tanto a tese quanto a antítese apresentadas por Schor. Com efeito, nem uma nem outra dão conta da verdadeira natureza da língua.

Vamos tentar formular nosso próprio ponto de vista com as seguintes proposições:

1. A língua como sistema estável de formas normativamente idênticas é apenas uma *abstração científica*, que só pode servir a certos *fins teóricos e práticos particulares*. Essa abstração não dá conta de maneira adequada da *realidade concreta* da língua.

2. A língua constitui um *processo de evolução ininterrupto,* que se realiza através da *interação verbal social dos locutores*.

3. As leis da evolução lingüística não são de maneira alguma as leis da psicologia individual, mas também não podem ser divorciadas na atividade dos falantes. As leis da evolução lingüística são essencialmente *leis sociológicas*.

4. A *criatividade* da língua não coincide com a criatividade artística nem com qualquer outra forma de criatividade ideológica específica. Mas, ao mesmo tempo, a criatividade da língua não pode ser compreendida *independentemente dos conteúdos e valores ideológicos que a ela se ligam*. A evolução da língua, como toda evolução histórica, pode ser percebida como uma necessidade cega de tipo mecanicista, mas também pode tornar-se "uma necessidade de funcionamento livre", uma vez que alcançou a posição de uma necessidade consciente e desejada.

5. *A estrutura da enunciação* é uma estrutura puramente social. A enunciação como tal só se torna efetiva entre falantes. O ato de fala individual (no sentido estrito do termo "individual") é uma *contradictio in adjecto*.

7. Artigo de Schor, "**Krizis sovreménnoi lingvistiki**". (A Crise da lingüística contemporânea)

Questões para REFLEXÃO

Para o autor, há uma primazia da **comunicação** sobre a **expressão**. Compare sua posição com a seguinte:
Quanto ao ensino da língua materna, já foi observado acima que de certa época para cá substituiu-se o nome "língua portuguesa" (ou simplesmente "português") por "comunicação e expressão" (ou só "comunicação"). Pois bem, com base na primazia da semiótica sobre a teoria da comunicação, afirmo que deveríamos enfatizar a "expressão" e não a "comunicação". Com efeito, comunicar-se implica massificar-se, igualar-se aos outros, perder a própria personalidade. É ficar comum. Quanto a expressar-se, é pôr para fora o que há dentro de si. Portanto, uma filosofia de ensino que enfatize a segunda perspectiva deve ser preferida à que se baseia na primeira. O educador que não for capaz de perceber isto não é digno deste nome.

A criatividade vem de fora ou de dentro? Depende de um dom individual, natural, ou de vivências, aprendizado etc.?

Compare sua capacidade de argumentar, de falar sobre determinado assunto **por escrito e oralmente**. Em qual delas você é melhor? Procure transferir a habilidade de uma para a outra. Você conhece pessoas que falam bem, mas escrevem mal, ou vice-versa? Tente gravar um "texto" (história, descrição ou um arrazoado). Depois transcreva-o no papel. Que tal: saiu ruim ou bom?

Compare o texto de Bakhtin com o de Schaff!

EXERCÍCIO

Releia o texto descritivo feito para a Unidade 2. Proceda como da vez anterior. Caso encontre falhas, corrija-as. Mas não o envie ainda. Guarde-o. Você deve ficar independente de um tutor para escrever. Quando muito, mostre-o a amigos, peça-lhes que o comentem.

LEITURAS RECOMENDADAS

- COUTO, Hildo Honório do. **Uma introdução à semiótica**. Rio de Janeiro, Presença, 1983, p. 73.
- FREIRE, Paulo. **Extensão ou comunicação?** Rio de Janeiro, Paz e Terra, 1980.
- ORLANDI, Eni P. **A linguagem e seu funcionamento**. S. Paulo, Brasiliense, 1983.
- ROSSI-LANDI, Ferruccio. **A linguagem como trabalho e como mercado.** S. Paulo, DIFEL, 1985.
- SCHAFF, Adam. **Linguagem, pensamento e cultura**. Rio de Janeiro, Civilização Brasileira, 1968.

Lembrete: Para escrever bem, é necessário ler muito e escrever muito, criticamente.

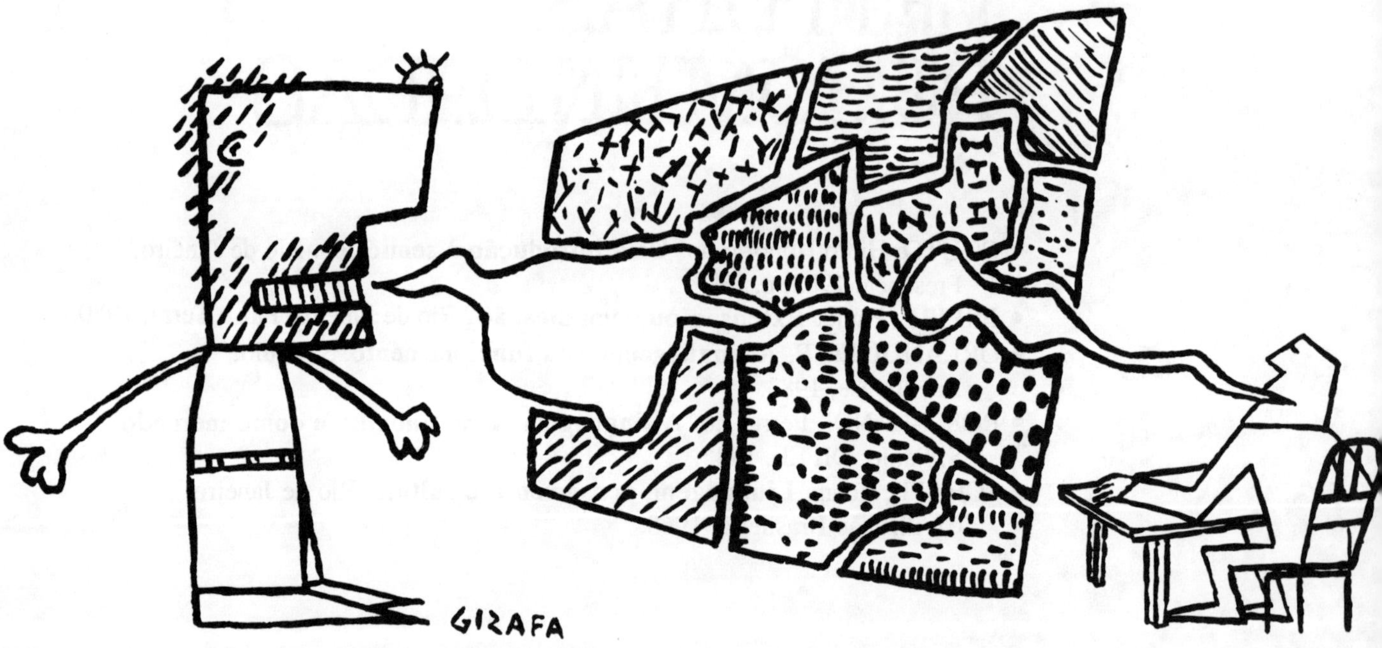

6 Ridendo Discitur

HILDO HONÓRIO DO COUTO

Sempre achei que se deve levar o aluno a manejar bem a língua e não a falar sobre ela. De que adiantaria saber recitar todas as declinações, regulares e irregulares, dos verbos, suas exceções, ou então saber todos os femininos e plurais de nomes que nunca usará? Se a tarefa do educador é adaptar o educando ao meio em que vive, como afirmam acertadamente os seguidores de J. Piaget, então o que o professor deve fazer é dar oportunidade ao aluno de desenvolver suas potencialidades de **expressão** e **comunicação**. O professor que não o faz está inibindo-o, está fazendo o contrário do que deveria fazer.

Disse **dar oportunidade** de propósito: estou de acordo com Lauro de Oliveira Lima, que afirma: "o professor não ensina: ajuda o aluno a aprender".[1] O processo da aprendizagem, de resto como qualquer outro tem uma seqüência natural. Se não chegou o momento em que a organização mental do aluno não está aberta para aquilo que queremos transmitir-lhe, de nada adianta insistir. Quantas vezes já não aconteceu conosco mesmos de não entendermos uma regra de Português explicada pelo professor de Português, e, depois, percebemo-la facilmente numa outra aula (de Matemática, por exemplo), em que o professor explica um processo que obedece aos mesmos princípios? Aí dizíamos: "Ah, agora entendo o que o professor de Português queria dizer!" O inverso também poderia acontecer. Em outras palavras, num momento posterior, em que o aluno estava apto a interiorizar o que o professor de português explanara, aprendeu naturalmente, sem forçar, o que, aliás, nunca deu certo.

Usei também os termos **expressão** e **comunicação**, e agora faz-se mister explicar a diferença entre eles.

Como as próprias palavras já indicam, **expressão** é o "ato de exprimir. . .", e **exprimir** significa "Dar a entender, a conhecer; revelar; manifestar; enunciar por palavras ou gestos; etc."[2] Isto é, é o ato de pôr algo para fora, de **exteriorizar** (principalmente palavras). Portanto, pressupõe só um falante ou emissor, sem

1. LIMA, Lauro de Oliveira. **A escola secundária moderna.** Rio de Janeiro, Forense Universitária, 1976. (Finaliza os capítulos com uma nota de rodapé, cujo texto é o transcrito no corpo deste trabalho).

2. **Pequeno dicionário brasileiro da língua portuguesa.** S. Paulo, Civ. Brasileira, 1969.

considerar se a mensagem (o que o falante expressou, a sua "expressão") atingiu ou não um receptor qualquer. *Comunicação,* etimologicamente, vem de *communicatione,* que é cognato de *communis*, que significa: "Comum; que é dividido *entre* todos; que pertence a vários, etc."[3] Isto é, comunicação pressupõe dois comunicantes, um emissor e um receptor, pois ela visa justamente a tornar algo (uma mensagem, no caso) *comum entre* mais de um ser (de um ponto-de-vista ideal, dois). Comunicação, portanto, é a transmissão de uma mensagem de um emissor a um receptor. Daí se conclui que uma pessoa pode expressar-se sem chegar a se comunicar com uma outra, como acontece no caso dos solilóquios, das exclamações de dor, etc.

Esta digressão era só para mostrar que, se o ser humano é naturalmente gregário, ou melhor, social, significa que o professor tem uma tarefa muito importante, que é a de dar ao educando condições de se expressar cada vez melhor, com o que ele estará também mais apto a receber as mensagens dos outros e, portanto, estará se comunicando melhor. O resultado de tudo isso é uma maior integração do aluno, como indivíduo, no meio social e físico[4] em que vive. E na medida em que se integra no meio realiza-se também como indivíduo.

Aqui surge a pergunta crucial: "Como poderemos fazer tudo isso?"

Como disse Edward Sapir[5] em outras circunstâncias, "a pergunta é mais fácil do que a resposta". Em vez de dar uma resposta (quem sou eu para dar fórmulas para se conseguir este ou aquele objetivo!) vou citar o que me ensinou a experiência dentro da sala de aula. Mas antes é necessário dar conta de como dou aulas (para quintas séries, no caso).*

Eu não costumo corrigir os erros de Português das redações dos alunos, por motivos que já expliquei em outro lugar,[6] mas exijo uma todo dia. Freqüentemente, no fim da aula, dou-lhes um tema para casa, o qual é, às vezes, sugerido pela lição vista no dia. Na aula seguinte, chamo voluntários para lerem suas composições (em geral, surgem em número maior do que o que eu desejaria). Com isso surgem histórias as mais engenhosas. O aluno faz sua redação com gosto porque quer lê-la para os colegas. Ele está altamente incentivado, principalmente porque sabe que o professor lhe dá inteira liberdade. Isto é, ele tem gosto em escrever e mais gosto ainda em ler o que escreve. Com isso todos os pontos básicos do aprendizado lingüístico são repassados: ele *ouve* (as redações dos colegas), *fala* ou *lê* (a própria redação) e *escreve* (a sua redação)[7]. Tudo isso num ambiente de alegria, de brincadeira sadia. Às vezes fico até aborrecido por não poder continuar "o programa" devido ao grande número de alunos que querem ler suas composições, tomando quase toda a aula. Mas depois reflito melhor e concluo que o aluno é mais importante do que o programa. Este é um meio e não um fim em si mesmo.

Vamos ao que interessa.

Tive, certa feita, uma turma mais animada que as outras, e na qual surgiu uma rivalidade interna (devido ao tipo de aula, em que o aluno se expressa desinibidamente), mas uma rivalidade sadia. Um aluno criou uma história que se passava entre bichos e o nome dos bichos era o de alguns de seus coleguinhas mais íntimos. Era o seguinte o texto integral:

"Existiam em uma certa floresta, muitos bichinhos, e, entre eles, estavam a bezerra Waly, o orangotango Mauro, o coelho Sérgio e o famoso auxiliar do rei, Luiz Mata Dez *(o autor).*

Em certo dia, apareceu um orangotango invocadinho, chamado Bronzatto. Um dia o orangotango Bronzatto estava beijando a bezerra Waly, namorada do orangotango Mauro. Este viu e entrou brigando. Depois de 5 minutos, via-se o orangotango Mauro chorando no colinho da mamãe. Aí entrou a Bezerra Waly na briga. O mesmo aconteceu. Via-se a bezerra Waly chorando no colinho da mamãe. Aí entrou na briga o coelho Sérgio. O mesmo aconteceu. Via-se o coelho Sérgio chorando no colinho da mamãe. Andando por aquelas bandas, o famoso auxiliar rei das selvas Luís Mata Dez. Vendo os amigos machucados, ficou invocado e começou o quebra-pau.

De repente, viu-se o orangotango Bronzatto chorando. Aí foi uma festa. Luiz Mata Dez prendeu por 1 semana o orangotango Bronzatto no pelourinho. Quando este saiu de lá, estava sujo de farinha, ovos, barro, e com grama na cabeça. Todos saudaram Luiz Mata Dez.

3. TORRINHA, Francisco. **Dicionário latino-português.** Porto, Maranus, 1945.

4. SAPIR, Edward. Língua e ambiente, in **Lingüística como ciência.** Sel., Trad., Notas de J. Mattoso Câmara Jr.

5. SAPIR, Edward. **A Linguagem: introdução ao estudo da fala.** 2 ed. Rio de Janeiro, Livraria Acadêmica, 1971.

* Este trabalho foi feito em 1972, quando eu era professor secundário em S. Paulo.

6. COUTO, Hildo Honório do. **Sobre a correção** (trabalho inédito).

7. LADO, Robert. **Language teaching: A scientific approach.** N. York, Mc Graw-Hill, 1963.

Pensaram que ele era fraco mas viram que estavam errados. No mesmo dia, via-se o orangotango Bronzatto indo embora."

Luiz Augusto Cruz

Em "represália", o aluno mais "ridicularizado" escreveu a seguinte história:

"O vexame"

"Luiz Augusto era um menino muito distraído.

Não perdia a cabeça porque estava grudada no pescoço.

Quase sempre ganhava anotações de seus professores por não levar seus livros ou cadernos.

Sua mãe já o tinha levado em muitos médicos, pensando que fosse amnésia.

Todos diziam a mesma coisa:

– Ele não tem nada, mas tente fazê-lo prestar mais atenção no que faz.

Ela seguindo o conselho dos médicos, disse-lhe muito para que prestasse mais atenção no que fazia, mas ele não ligava.

Como as mães sempre têm razão e ele não a obedeceu, o castigo que teve foi passar o maior vexame de sua vida.

Foi assim:

Numa bela manhã, na hora de ir para a escola, ele além de ser distraído estava com sono.

Levantou da cama, escovou os dentes, lavou o rosto, penteou os cabelos, tomou café e foi para a escola.

Quando chegou é que foi notar que ainda estava de pijama.

Que vexame!

Todos riram dele até se cansarem.

Deste dia em diante nunca mais foi tão distraído e nem desobedeceu sua mãe."

José Luís Bonzatto.

Não poderia generalizar muito a partir desses dois casos, pois trata-se de alunos acima da média. Mas, surgiu uma motivação interna na classe, pois todo mundo queria fazer sua redação mais imaginosa que a do outro e, o que é mais, "ridicularizando" este ou aquele, o que gerava uma réplica, uma tréplica e assim por diante. Até alguns mais acanhados se aventuraram pelo reino da bicharada, criando situações cômicas entre os animais, cujos nomes eram os de seus colegas.[8]

Tudo se passava entre risos e gargalhadas da turma e até do próprio "ridicularizado".

Quer dizer, brincando eles estavam se expressando, ou melhor, se comunicando. Sem perceber, estavam aprendendo Português, pois estavam desenvolvendo a criatividade e a comunicabilidade. E o que é mais: enquanto liam suas composições diante da turma, estavam se desinibindo, integrando-se socialmente, percebendo sua importância como indivíduo.

É assim que encaro o ensino do Português. Sendo ele o veículo de comunicação para nós brasileiros, o importante é saber usá-lo e não saber falar sobre ele. A gramática é algo dado de antemão, *a priori*. Com ela o aluno poderá escrever certinho, sem nenhum erro de pontuação, de regência ou de concordância, o que não aconteceu com as redações transcritas, mas será incapaz de fazer um encadeamento coerente de idéias, o que aconteceu com elas. É claro que a gramática como sistematização também é necessária. Mas, estabelecendo-se uma escala de prioridade, ela deve ser a última. Partir da comunicação, daquilo que é agradável (composições, histórias, leituras delas), e os alunos estarão sedimentando as estruturas lingüísticas, sem perceber. Aliás, ela pode ser dada desde os primeiros estágios, mas na prática, intuitivamente, em "estruturas", devendo ser sistematizada só em estágios posteriores (a altura exata depende de avaliações). Pelo processo inverso (o tradicional), que começa pelo ensino da gramática, conseguimos dois tentos negativos: a) fazemos o aluno odiar a gramática (veja-se a famigerada "análise sintática", que fez muita gente odiar Camões!); b) anulamos a capacidade criadora do aluno, pois lhe damos as fórmulas prontas, as quais ele deve decorar (ou "memorizar", como se prefere dizer agora). Começando pela gramática o estudo da língua é chato, enfadonho. Só a perspectiva de notas baixas nos exames e da conseqüente repreensão (ou castigo) paterna fará com que ele estude. Mas fará questão de esquecer logo após a prova. Deixando a gramática para o fim, isto é, começando por histórias, composições feitas num ambiente de brincadeira, portanto feitas

8. LIMA, Lauro de Oliveira. **Treinamento em dinâmica de grupo no lar e na escola.** Petrópolis, Vozes, 1971. (Sugere o que chama de "O jardim zoológico", embora com outra finalidade).

com prazer, tudo se torna mais fácil, pois evitamos os dois pontos negativos mencionados e cativamos os alunos. Com justo orgulho posso afirmar que a disciplina de que os alunos mais gostam em minha escola é Português! Agora, é claro que há exceções...

Quando chegar a vez da gramática sistematizada, é só usar um pouco de imaginação e fazê-los verem que aquilo que eles usaram durante tanto tempo para as "brincadeiras" (aulas) tem uma organização interna, um princípio coerente; não é um amontoado de palavras que usamos em qualquer ordem; todas suas histórias têm *períodos,* que se decompõem em orações e estas, por sua vez, constam de um *sujeito e de um predicado (com núcleo e o objeto direto e/o indireto).* O sujeito consta em geral de uma palavra mais importante do que as outras e que se chama substantivo, e que as que o acompanham são ou artigos, ou *adjetivos,* ou *demonstrativos* etc. (Aliás, é um erro ensinar "análise morfológica" e "análise sintática" separadamente!). E assim por diante. Poderíamos mesmo exemplificar com enunciados tirados de suas próprias composições (o que as valorizariam ainda mais).

Antes de terminar, gostaria de apresentar mais um caso acontecido comigo. Numa época em que eu ainda titubeava, não sabendo se dava mais gramática ou mais "uso da língua", havia dado os aumentativos e diminutivos dos substantivos (os irregulares, é claro!). Após alguns exercícios, solicitei uma composição para casa cujo título era: "No mundo do pequenininho e do grandalhão", e disse-lhes que neste mundo tudo deveria ser ou grande demais ou pequeno demais. A minha surpresa foi imensa ao perceber que surgiram histórias imaginosíssimas, apesar de eu lhes ter dito que não queria nenhum aumentativo em -ão nem diminutivo em -inho. Apesar da restrição saíram histórias muito inteligentes.

Tudo isso porque a experiência adquirida pela criança na televisão é muito grande. Os desenhos animados, histórias fantásticas que vêem nela, os ajudam a criar situações semelhantes. Tanto que Marshall McLuhan chega a falar em "*tv child*"[9].

Mas, a segunda experiência aqui narrada não é a ideal. Valorizava demasiadamente a gramática. O mais natural é partir do uso da língua para sua estrutura, partir das "brincadeiras" para a gramática, o que de resto estará dentro do velho preceito: *ridendo discitur.*

9. MCLUHAN, M. e FIORE, Q. **The medium is the message.** N. York, Bantam Books, s/d.

Questões para REFLEXÃO

Aqui temos o relato de uma experiência que pode ser objeto de reflexão. Sabemos que forma e conteúdo se pressupõem mutuamente. Logo, pode-se, em princípio, começar da forma para chegar ao conteúdo ou vice-versa. Acontece que uma das direções é mais direta, menos tortuosa, mais suave e agradável. Volte ao texto e reflita sobre as vantagens e desvantagens de se começar com uma ou outra. Pense em como você "aprendeu" redação na escola.

Como já foi dito, ao produzir um texto, em primeiro lugar deveremos deixar sair tudo que está dentro de nós como uma avalanche incontrolável. Só depois, como disse o mestre da palavra, Carlos Drummond de Andrade, devemos voltar ao texto, de cabeça fria, criticamente. Nesse momento, nós mesmos somos capazes de "corrigi-lo", de melhorar sua forma, mesmo sem a ajuda de um "gênio", de um professor de redação. Você é rico em experiências, portanto pode e deve se conscientizar de que você é tão inteligente quanto os "gênios".

Em geral, todo aprendizado se faz pela imitação. Portanto, você pode começar lendo algum bom estilista e imitando-o. Logo, logo você começará a dar vôos próprios. O mais importante é você acreditar em você mesmo. Ficar autônomo.

EXERCÍCIO

Releia o texto dissertativo, feito para a Unidade 3, procedendo como das vezes anteriores, aperfeiçoando a forma. Guarde-o. Ele é importante para você, não para o professor que organizou este curso. Ou melhor, só como texto importante para você é que ele pode ser importante também para o professor.

LEITURAS RECOMENDADAS

- COUTO, Hildo Honório do. A questão do ensino. In: **O que é português brasileiro.** S. Paulo, Brasiliense, 1986, p. 92-109.
- FRANCHI, Eglê. **A redação na escola.** S. Paulo, Martins Fontes, 1984.
- GERALDI, J.W. (org.) **O texto na sala de aula.** Cascavel, Assoeste, 1985.

Lembrete: Para escrever bem, é necessário ler muito e escrever muito, criticamente.

7

A inspiração é um cachorro preto, um doberman bem aí atrás de você.

HENFIL

Não é bem um curso. Mas está sendo uma experiência interessantíssima. A gente fica juntos quatro horas cada sábado, fala-se muito, desenha-se muito pouco. A maior parte dos alunos vem de cursos como Comunicação, Belas-Artes, Arquitetura. Não há nenhum ensinamento técnico. O que a gente quer é o desenvolvimento da capacidade de criar. O respeito pela originalidade de cada um. O despertar da potencialidade das pessoas. É quase um trabalho psicanalítico, uma espécie de terapia de grupo.

O tempo todo eu vou dando depoimentos pessoais sobre como é o processo de criar. E aí muitos mitos caem. Por exemplo: que a criatividade é uma genialidade esotérica, uma coisa que de repente brota nas pessoas, um espírito santo que baixa, em condições ultra-especiais. Eu, então, mostro através da minha experiência – e da experiência que eu pude observar em outras pessoas que criam – que criatividade é uma questão de concentração. Que sem concentração ela não acontece, e esta concentração às vezes é dolorosa, demora muito tempo e dá um trabalho danado. E o resultado dela é, em geral, o isolamento da pessoa que tem sucesso, que é isso o que significa ser exceção.

O importante, então, foi logo de saída desmistificar, desarmar o espírito deles. O pior é que na aula inaugural foi lá a TV Globo, a TV Cultura, com aquela parafernália toda. Isso piorou muito a situação para eles. Levou umas duas aulas para que eles relaxassem em relação a isso. Vissem que eu não era o professor, o sábio. Outro aspecto é que a gente ali não ia desenhar, raramente se desenha. Então, não tem concorrência, não há chance deles se colocarem assim: ali está um professor famoso que vai me ensinar a ter sucesso, é eu e ele, os outros são concorrentes. Nada disso. Nós levamos três aulas para que todo mundo ficasse numa boa, numa igual, sem concorrência.

Foi aí que eu intuí para eles que há duas formas de você criar. Uma delas é que você só cria com um cachorro preto atrás. O que significa o cachorro preto? É a urgência, é a necessidade concreta, o prazo estourando. É aquele negócio assim. Você está doente, com o joelho arrebentado, mas vem um cachorro preto, um *doberman* atrás de você. E aí você corre e, se preciso, até pula n'água sem saber nadar. Se for para subir num poste, você sobe. A urgência, a necessidade, é a mãe da criação. Isso tem a ver com uma frase do técnico de futebol Gentil Cardoso aos seus jogadores: "eu quero que vocês vão na bola como num prato de comida". A necessidade é um negócio essencial. Eu fiz alguns exercícios em relação a isso. Eu pegava, de repente, e dizia: vamos desenhar agora, tem dois minutos para acabar. Então, as coisas saíam e eles até se assustavam. Mas, claro que saíam: eu soltava o cachorro preto!

Com isso eu acabei mostrando que você só cria em alta tensão. Mostrando que às vezes a pessoa tem um mês para criar um cartum e fica 29 dias sem criar, só cria no último dia. Raramente você entra num processo acumulativo e, se entra, acaba sendo uma coisa superelaborada e vem a *overdose*: você passa do ponto que precisa. Agora, quando você não tem tempo, aí você cria.

Fizemos esse tipo de exercício várias vezes e se viu que na repetição o resultado era muito pobre porque, apesar do cachorro preto, você acaba sempre trabalhando em cima do que já tinha. Você termina gastando o que tem só para a sobrevivência. E, para criar mesmo, você precisa de algo mais. Precisa de informação. Nesse dia, eu fiz três perguntas para a classe que eram: quem era Zapata, quem era Lumumba e quem era Milton Campos. Ninguém sabia. Dos trinta, ninguém sabia. E eram pessoas bem informadas, sensíveis. Aí veio a discussão deste outro aspecto: informação é importantíssimo. O conhecimento é que te dá mais condições de criar. Vem o cachorro preto, você corre, se joga n'água. Você nada, nada de peito, de borboleta. Vai que o cachorro preto não vá embora, fique na margem. Aí você tem que nadar de outro jeito, tem que boiar, tentar outros estilos, ir se agüentando. É isso: quem tem pouco conhecimento morre afogado, ou o cachorro pega.

Tá faltando um: é o Tiradentes

O problema da informação é fundamental. Inclusive, tem o aspecto do ver e olhar de que Castañeda tanto fala nos seus livros. Você pode olhar as coisas e não ver. É a informação que faz com que você veja as coisas. Os grandes artistas do mundo inteiro têm uma informação muito grande. Quer dizer, os primitivistas podem não ter informação teórica, mas eles têm vivência. São pessoas que viveram em mil lugares, viveram mais do que quem escreve, mais do que os teóricos. A informação é vital para aprender a olhar e ver as coisas.

Olha o Millôr. Um cara que estuda mesmo. Ele é tradutor, traduz várias línguas, lê muitos livros. Você vai na casa dele e ele tem todos os dicionários. A informação não é um dom, é um trabalho. Na última aula, por exemplo, eu disse: vocês vão pegar um cartum de qualquer pessoa, uma história em quadrinhos e vão dissecar. Vão ver que tipo de informação o autor teve que ter para fazer aquilo. Para mostrar quanta água ele bebeu antes de fazer aquilo. É preciso ter mil informações para escrever uma simples história onde o Tio Patinhas vai à Mongólia e luta contra um outro cara que quer roubar o dinheiro dele.

Inclusive, tem o problema dos odaras, que é a maior mitificação dos últimos tempos. O pessoal que não quer ler jornal, mexer com partido político, não quer ter opinião, nada, nada. Ora, isso é mentira. É só você pegar um grande líder odara e ver. O Caetano Veloso, por exemplo. Ele lê todos os jornais, todas as revistas, tudo o que é poesia, tudo o que é livro. Basta ouvir a música dele para ver que, vira e mexe, ele está citando, usando bem as palavras. A própria briga dele com a imprensa mostra que ele tá altamente informado a respeito da imprensa. Na realidade, é um cara que lê muito. O mesmo com o Gilberto Gil, Jorge Ben. Nalgum lugar você tem que se alimentar. Você não dá o que não tem. A não ser que você crie uma nova linguagem esquizofrênica, que não vai ser entendida, e aí você não tem contato com ninguém, só com algum psiquiatra, que vai ficar analisando aquilo.

Fui colocando essas coisas e, a partir disso, o grupo começou a trabalhar em termos de criação. Eu, então, expliquei que na criação eu vejo, basicamente, dois processos. No humor, essas duas coisas são fundamentais: você relacionar um fato com o outro e fazer com que assim as pessoas percebam

melhor a situação. No caso da reversão de expectativas, você vai e dá o contrário do que elas estão esperando, e as pessoas percebem melhor a situação. Principalmente por que aí você dá um susto, e aí é onde o humor se realiza mais.

Fizemos muitos treinos de relação. Eu dizia uma palavra – alegria – e, em alta velocidade, cachorro preto solto, eles tinham que relacionar coisas com ela. Então, um dizia *Natal* o outro *pagamento*. Aí passamos a criar. Eu falei um fato lido no jornal: no Rio, seis negros foram amarrados pelo pescoço com uma corda. Então, vamos relacionar: negro amarrado com corda. Aí, eles: Tiradentes! Voto vinculado! Aí eu até fiz um cartum, ali na hora, que era um policial levando os negros amarrados pelo pescoço, e aí outro dizia *tá faltando um*, vai lá e vem com o Tiradentes.

Dance, pinte, cante que a ONU garante

Depois treinamos reversao de expectativas. Eu falava *alegria* e eles tinham que reverter minhas expectativas. Um falava *minha mãe morreu no natal*, e assim por diante. Eles sugeriam os temas. Começaram a ler mais, preocupados com a ignorância demonstrada nos dias anteriores. Saíram até alguns cartuns em cima da reversão de expectativas, que é o processo de criação do fradinho. Quando todo mundo pensa que ele vai agradar, ele agride. Quando todo mundo pensa que ele vai agredir, ele beija, e aí o beijo vira escândalo. Fui passando este *know-how* e eles puderam ver 30 pessoas criando juntas, que era possível criar juntas, que tem técnicas pro negócio, que criar não é uma coisa extemporânea, do espírito santo. Há um comparecimento assustador nas aulas, praticamente os trinta permanecem, mesmo em vésperas de trabalhos prolongados, sempre.

Outro mito que eu procuro combater é em relação à forma. Não há um desenho que seja *o* desenho. Isso seria apenas uma forma comercial. O sistema diz: Picasso, esse sabe desenhar, o resto não sabe. Então, tem um Picasso e cem milhões de consumidores do Picasso. Ora, eu falo pra eles que cada desenho é um desenho, e que uma coisa que hoje não é considerado arte, daqui a pouco é. Citei o exemplo de João Gilberto.

Quando Ângela Maria e Nélson Gonçalves eram os grandes cantores, apareceu João Gilberto, com sua voz desafinada, e logo era considerado um grande cantor. E hoje é difícil para o Nélson Gonçalves ser considerado um grande cantor, porque ele canta muito afinado. Hoje, o desafinado é que é a bossa. Então, a gente não pode cair no processo comercial do momento. Tem é que desenvolver o seu potencial, nem que, para isso, seja preciso desenhar desafinado.

O problema da escola não é só em relação à criatividade, desenho, arte. É em relação a tudo. O grande escândalo da escola tem sido formar robôs, pessoas umas iguais a outras, valendo-se de técnicas cuja finalidade é substituir rapidamente outras peças. No caso do desenho, por exemplo, eles pegam o que seria uma forma de desenho clássico que um determinado cara desenvolveu e passou a ensinar aquilo como o *desenho*, como uma forma definitiva: só resta aprender. Acontece que aquilo já foi feito, não tem mais mercado, porque ninguém vai comprar uma cópia de Michelângelo, ou mesmo de um cara mais livre como Picasso. Na medida em que treinam para o que já foi feito, as escolas treinam as pessoas para o desemprego, é um processo de adaptação a fórmulas.

Para tentar um outro processo, precisa reinventar a sociedade inteirinha. Uma sociedade onde o indivíduo é importante e todo mundo tem todos os potenciais. Não *o* potencial, mas um potencial que não é igual ao do outro. Então, o negócio da individualidade, da personalidade tem que ser reconhecido, os direitos humanos têm que ser reconhecidos. Então, tem que chamar a ONU, e as escolas e os professores têm que assinar em baixo da carta da ONU. Feito isso, é só pôr em prática que a gente vai cair fatalmente numa democracia. Ou seja: numa sociedade onde eu posso nadar, dançar, cozinhar, criar. Agora, à minha maneira. Nenhuma forma vai ser *a* boa. A partir daí, minha voz é boa, meu desenho é bom.

E aí eu citava, nestas aulas no Sesc, o caso do rock. Quando o rock surgiu, mesmo os jovens achavam aquilo uma coisa grosseira, esquisita, acostumados que estavam com a música romântica inglesa, francesa, italiana. E, de repente, aquele ritmo louco, estrangeiro, para os ouvidos. Mas, pela repetição, a máquina de divulgação foi colocando aquilo como uma forma de cantar. No fim, quem não conseguia cantar daquele jeito estava fora do padrão. Isso tem que acabar. Todas as vozes valem. E não isso de, de repente, surgir uma Clementina de Jesus – e vale. Temos milhões de Clementinas de Jesus, só que não valem. A máquina não consagrou. Claro que há um afinamento do potencial de cada um. Clementina e Elis Regina não nasceram afinadas, treinaram dias e dias. A Elis do primeiro disco era um horror em comparação com o último. Ela treinou oito, nove, dez horas por dia para chegar na afinação. Qualquer pessoa que faz isso se afina. Não vai ter a mesma voz da Elis, pode ser outra voz, a voz da Gal. A Gal era ruim quando começou. Hoje é boa porque teve disposição. O sistema consagra um, põe lá em cima, só para treinar os outros para serem consumidores e não pessoas com potencial.

Mande seu carisma circular um pouco

Todo mundo sabe desenhar, do seu jeito, com sua visão de mundo. De repente, eles falam que a visão de mundo tem que ser a de Michelângelo. Então, as pessoas se tornam incompetentes porque não são Michelângelo. Então, as escolas estão montadas para promover a incompetência das pessoas. Ou seja, ensinam a copiar outras pessoas. Aí todo mundo desiste. E, para mudar isso, só assinando a carta da ONU.

Estas pessoas que, de repente, desistem de ter aulas, largam a escola, passam a não aceitar nenhum tipo de ensinamento (ou seja: como copiar os outros), estas pessoas logo são vistas pelo sistema como artistas, como marginais. E aí, se ficam famosas, passam até a dar aulas, como está sendo o meu caso. Eu recusei a escola, nunca aprendi nada. Isto é, nas escolas eu vivia as coisas, não a escola. Mantive a minha individualidade. Na medida em que você mantém a sua individualidade, você é um artista porque, para manter a individualidade numa sociedade de massa e alienação, você tem que ser artista. O artista é exatamente isto, o cara que consegue manter a sua individualidade, sua personalidade, em qualquer setor. Daí para a frente ele tem a maré contra, que obriga que ele faça um esforço muito grande.

Outra coisa que tem que desmistificar é essa de carisma. Quanto mais as pessoas desenvolverem o seu próprio potencial, menos carismáticos vão existir. Na medida em que todo mundo comece a jogar bola melhor, o carisma de Pelé já diminui. E a projeção de alguém não é só uma questão de maior talento. A projeção se deve também a uma coragem maior de se colocar. Eu, por exemplo, quando fui dar aula lá no Sesc, não sabia direito o que ia falar. Cheguei lá, olhei o pessoal e mandei ver, não sabia a palavra seguinte que eu ia falar. O carisma tá aí. Agora o meu carisma tá diminuindo lá dentro. Ou seja, mais gente tá falando junto. Inclusive tá acontecendo uma coisa engraçada. Alguns caras já se levantam e falam ali do meu lado. Antes estavam lá atrás me olhando de frente, agora estão de frente pra turma, exercendo o seu carisma.

Tem que botar o carisma pra circular. Mudar de posição. Essa situação de carisma tem um peso muito grande pra quem quer ficar sozinho com ela. O negócio é realmente botar os outros para ter carisma junto com você. Senão, ninguém agüenta. Passarinho que come pedra sabe o que lhe advém. A pessoa que aceita um papel carismático vai para a solidão, a mais solitária e tenebrosa solidão.

Questões para REFLEXÃO

Com certeza você se considera sem aptidões para a escrita, não escreve bem. Daí a considerar-se burro, de pouca inteligência é um pulo. Reflita sobre o conteúdo do texto.

Analise as falas de políticos e de gente "importante" (tipo Delfim Netto, Roberto Campos, Ibrahim Abi-Ackel, José Sarney etc.). Você nota coerência nelas? Você corrigiria alguma coisa do ponto de vista do conteúdo, da veracidade do que dizem?

Para produzir um bom texto, você tem que dominar duas coisas: o próprio assunto e as técnicas de escrever. Em suma, você tem que ser senhor da situação, e não estar sob a exigência de tempo marcado, de número de páginas, etc, etc. A produção de texto é uma intervenção social, e, como tal, pode ser treinada. A criatividade é um ato de poder, de ser capaz de colaborar para o bem comum e o próprio, é uma manifestação de sua liberdade. Você já notou que via de regra os chefes argumentam melhor do que os subordinados? Por quê? Sua liberdade é legítima somente quando os semelhantes também são livres. A liberdade do superior é espúria, está baseada na opressão dos outros (cf. o texto de Paulo Freire!).

EXERCÍCIO

Junte os três textos que você produziu até aqui, nas versões melhoradas, revistas, e compare-os. Qual deles ficou melhor? Passe a escrever sempre que puder obedecendo às diretrizes sugeridas anteriormente. Leia sempre outros autores, observando criticamente seu estilo, a coerência interna de seus textos etc. Reproduza aqueles que mais lhe agradaram, com suas próprias palavras.

Continue escrevendo, sobretudo dentro do gênero em que você se saiu melhor (narração, descrição, dissertação). Escrever bem é como qualquer outra habilidade – ginástica, por exemplo. Depende de treino. Não fique dependendo de "aulas". Escreva por conta própria. Releia o texto posteriormente, mostre-o a amigos. É necessário transpiração. Ninguém aprende a escrever por um passe de mágica.

LEITURAS RECOMENDADAS

- COUTO, Hildo Honório do. A questão do ensino. In: **O que é português brasileiro**. S. Paulo, Brasiliense, 1986, p. 92-109.
- LUFT, Celso Pedro. **Língua e liberdade**. P. Alegre, L & PM, 1985.

Lembrete: Para escrever bem, é necessário ler muito e escrever muito, criticamente.

GIRAFA

8 Libertação pela Expressão

HILDO HONÓRIO DO COUTO

Do modo como é ensinada na escola, a redação está sempre cercada de restrições. Em geral é sobre um tema escolhido pelo professor (primeira restrição). Ela tem que ser feita numa hora pré-determinada, ou seja, durante a aula (segunda restrição). O local também é pré-determinado, é a sala de aula, abarrotada de alunos (terceira restrição). Não bastassem essas restrições, o aluno sabe que o professor irá riscar de vermelho – e baixar sua nota por isso – todas as trocas de s por z, de x por ch etc., e vice-versa (quarta restrição). A maioria dos professores pré-fixam um número mínimo, e às vezes, até um máximo de linhas quc o aluno deve preencher (quinta restrição). Para coroar todas essas restrições, temos a nota, da qual depende em parte a aprovação (sexta restrição).

Restrição à liberdade individual, sobretudo quando não prejudica nem interfere na liberdade do outro, é opressão. Assim, a redação escolar vem sendo ensinada sob insuportável carga de opressão. É bem verdade que há uma tendência em sentido contrário, nos últimos tempos, mas muito tímida ainda. O que se exige do aluno que deve produzir um texto ainda é, acima de tudo, a forma. E forma no pior sentido da palavra, quase como sinônimo de formalidade, de forma pela forma, de formalismo. O conteúdo a ser expresso fica para segundo plano, numa inaceitável inversão da ordem natural das coisas.

Fazer redação é produzir textos, é criar. Como sabemos, a criação é uma ruptura, é um ato de insubordinação a formalismos vazios, é um ato revolucionário de exteriorização social de conteúdos individuais. A criação de um texto é, como qualquer ato criador, incompatível com restrições, com opressões. É um ato de manifestação da liberdade individual, que só será legítima se os outros (concidadãos) forem livres também. Ninguém trabalhou mais sobre a idéia de educação libertadora do que Paulo Freire. Por essa razão, suas idéias serão um de nossos pontos de partida.

A liberdade só é verdadeira se for concreta, real, e não apenas um conceito abstrato. E liberdade real é algo agradável, que faz do homem um ser alegre, que tem prazer. Isto deveria ser a finalidade primeira de qualquer planejador social. O *homo faber* não pode se desvincular do *homo ludens*, eles devem constituir as duas faces do ser humano. O aprendizado não precisa ser algo sisudo, desagradável. Pelo contrário, os antigos já diziam *ridendo discitur*, ou seja, rindo se aprende (cf. Tema nº 6). Como disse o professor de filosofia jurídica Roberto Lyra Filho, "falar sério não é falar de cara feia".

Quem fala em prazer, precisa pensar em lazer. Aquele precisa deste, embora este nem sempre leve necessariamente àquele. Laser é tempo livre, no qual você pode fazer o que bem entender. E quem pode fazer o que bem entender procura sempre fazer o que é menos desagradável, procura o que é mais agradável. É nesse momento que surge a criatividade, embora a premência também a provoque (cf. o texto do Henfil). No entanto, se observarmos as crianças, verificaremos que elas sempre procuram fazer de tudo uma brincadeira. Fazer com prazer é um pressuposto para uma educação libertadora. Quem quiser fazer da produção de textos algo agradável, precisa direcionar suas atividades. Precisa mudar sua maneira de encarar o mundo. Tem que ver o lado agradável, bom das coisas, não o desagradável. Uma pessoa azeda, nunca tem prazer, pois nada é bom para ela, tudo é chato, tudo é feio, desagradável, está sempre com o cenho franzido, de cara fechada.

Para poder ter prazer no que faz, é necessário preparar o terreno. Nada se consegue sem esforço, nada cai do céu. No caso da redação, precisamos nos preparar, ler muito, imitar os que já escreveram antes de nós. Só que podemos escolher as leituras, podemos nos ater àquelas que mais nos agradam, aos assuntos que nos interessam. Por fim, devemos estar conscientes do papel da linguagem no pensamento, no conhecimento e na cultura (cf. o texto de A. Schaff – Tema nº 2). Precisamos saber que nem sempre o que o gramático diz que está errado realmente está. Precisamos dominar a linguagem, não sermos dominados por ela. Por exemplo, quem evita tal ou qual expressão por ser "antiquada", "cafona", "culta demais", "popular demais", está se deixando dominar pela linguagem, está fugindo dela. Ora, quem foge de alguma coisa é porque não a domina, mas é dominado por ela. Portanto, não está à vontade em relação a ela, não está livre, está escravo dela.

Fazer uma redação é uma atividade produtiva. Como produção é trabalho, uma necessidade, algo de que não podemos fugir, penoso, uma vez que é dispêndio de energia. Mas, para uma visão dialética, necessidade e liberdade formam um todo contraditório, são as duas faces dele. Uma não existe sem a outra. Cabe a nós termos a habilidade necessária para fazer a necessidade (as forças da natureza, por exemplo) trabalharem para nós, proporcionando-nos tempo livre, lazer, prazer. Em suma, produzir um texto é trabalhar. Só que vamos tentar fazer desse trabalho algo agradável, livre. Vamos mostrar que, ao produzir um texto, o indivíduo impõe sua personalidade de ser humano livre, manifesta-se como cidadão. Como vimos, sua liberdade só será legítima quando os outros também forem livres. A "liberdade" do tirano, de oprimir seus subordinados, é espúria. A qualquer momento, estes podem se insurgir e derrubá-lo pela violência. Portanto, a liberdade de um indivíduo só é legítima quando não interfere na do outro. Democracia não é cada um fazer o que lhe vier na cabeça, como às vezes se pensa equivocadamente no Brasil. Isto é anarquia, no pior sentido da palavra. E, onde reina a anarquia, sempre surge um espertalhão e passa a dar as cartas, assume o poder.

A pessoa que é capaz de escrever, de dominar a linguagem, pode se impor. Não se deixa enganar por políticos demagogos, que vêm com retórica barata. Conhece as leis, sabe redigir um ofício, bem como ler o dos outros, uma carta comercial, um requerimento, mas também uma carta de amor, um poema, um romance... Enfim, quando a redação é encarada como libertação, não como opressão (como se faz na escola), ela enriquece o indivíduo e, por via de conseqüência, a sociedade de que ele faz parte. Redação é libertação.

Questões para REFLEXÃO

Na letra da lei em geral temos o seguinte: "Todos são iguais perante a lei". Isto é verdade na prática? Um domínio da linguagem facilitaria o direito de todos à igualdade?

Existe também exigência nos seguintes termos: "Ninguém pode alegar desconhecimento da lei para o seu descumprimento". Isto é justo? Pode-se exigir isto de quem não pode sequer fazer as quatro séries do primeiro grau, de um analfabeto?

Não se esqueça de que quem deve se preocupar com seu desenvolvimento redacional é você mesmo. Não fique dependente de professores, de tutores, liberte-se! Você é capaz! Faça pelo menos um texto por semana. Releia-o meses, anos, décadas depois. Você mesmo o melhorará. Você progredirá. Ficará autônomo, independente. Mostre seus textos a amigos, peça-lhes a opinião sobre eles. Leia sempre bons autores.

Ao rever o próprio texto, procure melhorar a forma, inclusive os "erros" de ortografia, de concordância, regência etc. Aí entra a gramática. É indispensável ter uma boa gramática em casa. Um dicionário também não pode faltar. Sempre que encontrar uma palavra que não conheça, olhe no dicionário. Dentro de pouco tempo você terá um vocabulário tão vasto que ficará espantado.

EXERCÍCIO

E assim estamos chegando ao fim de nosso curso de redação. Faça mais uma leitura dos três textos, dê-lhes os últimos retoques de forma. E até mesmo de conteúdo, se for o caso. Alías, forma não existe sem conteúdo e este não existe sem aquela. NÃO HÁ LIMITAÇÃO DE PÁGINAS NEM DE LINHAS. Um texto termina quando o que você tinha para dizer foi dito. O resto é conversa fiada.

– Envie os três textos, em sua forma final, para obtenção do Certificado de Extensão Universitária.

LEITURAS RECOMENDADAS

- COUTO, Hildo Honório do. **O que é português brasileiro**. S. Paulo, Brasiliense, 1986.
- FREIRE, Roberto e BRITO, Fausto. **Utopia e paixão**. Rio de Janeiro, Rocco, 1984.
- LAFARGUE, Paul. **O Direito à preguiça**. São Paulo, Kairós, 1977.
- REICH, Wilhelm. **Materialismo dialético e psicanálise**. Lisboa, Presença, 1983.

Lembrete: Para escrever bem, é necessário ler muito e escrever muito, criticamente, sempre.

BIBLIOGRAFIA

1. BAKHTIN, Michail. **Marxismo e filosofia da linguagem.** S. Paulo, Hucitec, 1981.
2. CASTILHO, Ataliba T., GNERRE, Maurizzio e CAMACHO, Roberto H. **Subsídios à proposta curricular de língua portuguesa para o 2º Grau.** S. Paulo, SE/CENP/UNICAMP, 1978. v.4.
3. COSERIU, Eugênio. **Teoria da linguagem e lingüística geral.** Cinco estudos. Rio de Janeiro, Presença, 1979.
4. COUTO, Hildo Honório do. Os níveis sociológicos. **Semina, 1** (3): 15-23, 1979.
   ——— **Uma introdução à semiótica.** Rio de Janeiro, Presença, 1983. p.73.
   ——— A questão da norma. In: **O que é português brasileiro.** S. Paulo, Brasiliense, 1986. p. 74-91. (Coleção Primeiros Passos, nº 164).
5. CUNHA, Celso. **Língua Portuguesa e realidade brasileira.** Rio de Janeiro, Tempo Brasileiro, 1970.
6. FRANCHI, Eglê. **A redação na escola.** S. Paulo, Martins Fontes, 1984.
7. FREIRE, Paulo, **Extensão ou comunicação?** Rio de Janeiro, Paz e Terra, 1980.
8. FREIRE, Roberto e BRITO, Fausto. **Utopia e paixão.** Rio de Janeiro, Rocco, 1984.
9. GERALDI, J. W. (org.). **O texto na sala de aula. Leitura e produção.** Cascavel, Assoeste, 1985, (diversos ensaios).
10. GNERRE, Maurizzio. Linguagem e poder. In: **Subsídios à proposta curricular de língua portuguesa para o 2º Grau.** S. Paulo. SE/CENP/UNICAMP, 1978. **4:** 44-62.
    ——— **Linguagem, escrita e poder.** S. Paulo, Martins Fontes, 1985.
11. HENFIL. A inspiração é um cachorro preto, um "doberman" bem aí atrás de você. **Psicologia Atual, 5** (28).
12. LAFARGUE, Paulo. **O Direito à preguiça.** S. Paulo, Kairós, 1977.
13. LUFT, Celso P. **Língua e liberdade.** P. Alegre, L & PM, 1985. (Salientamos a crônica de Luís Fernando Veríssimo, "O Gigolô das Palavras", reproduzida nas pp. 14 e 16).
14. MARCUSCHI, Luís. **Linguagem e classes sociais.** P. Alegre, Movimento, 1975.
15. ORLANDI, Eni P. **A linguagem e seu funcionamento.** S. Paulo, Brasiliense, 1983.
16. POSSENTI, Sírio. Uma variante é variante de quê? **Boletim da Abralin,** (8): 107-117.
17. PRADO Jr., Caio. **Introdução à lógica dialética.** S. Paulo, Brasiliense, 1979.
18. REICH, Wilhelm. **Materialismo dialético e psicanálise.** Lisboa, Presença, 1983.
19. ROSSI-LANDI, Ferruccio. **A linguagem como trabalho e como mercado.** S. Paulo, DIFEL, 1985.
20. SCHAFF, Adam. **Linguagem, pensamento e cultura.** Rio de Janeiro, Civilização Brasileira, 1968.
21. SOARES, Magda B. **Linguagem e escola. Uma perspectiva social.** S. Paulo, Ática, 1986.
22. WITTGENSTEIN, Ludwig. **Tratactus lógico-philosophicus.** S. Paulo, Cia. Editora Nacional, 1968.

ESCOPO EDITORA